新潮文庫

つめたいよるに

江國香織著

新潮社版

5707

目次

つめたいよるに——9

つめたいよるに

つめたいよるに

デューク

歩きながら、私は涙がとまらなかった。二十一にもなった女が、びょおびょお泣きながら歩いているのだから、他の人たちがいぶかしげに私を見たのも、無理のないことだった。それでも、私は泣きやむことができなかった。

デュークが死んだ。

私のデュークが死んでしまった。

私は悲しみでいっぱいだった。

デュークは、グレーの目をしたクリーム色のムク毛の犬で、プーリー種という牧羊犬だった。わが家にやってきた時には、まだ生まれたばかりの赤んぼうで、廊下を走ると手足がすべってぺたんとひらき、すーっとお腹《なか》ですべってしまった。それがかわいくて、名前を呼んでは何度も廊下を走らせた。（そのかっこうがモップに似ていると言って、みんなで笑った。）たまご料理と、アイスクリームと、梨《なし》が大好物だった。五月生まれのせいか、デュークは初夏がよく似合った。新緑のころに散歩につれていくと、匂《にお》やかな風に、毛をそよがせ

て目をほそめる。すぐにすねるたちで、すねた横顔はジェームス・ディーンに似ていた。音楽が好きで、私がピアノをひくと、いつもうずくまって聴いていた。そうして、デュークはとても、キスがうまかった。

死因は老衰で、私がアルバイトから帰ると、まだかすかにあたたかかった。ひざに頭をのせてなでていたうちに、いつのまにか固くなって、つめたくなってしまった。デュークが死んだ。

次の日も、私はアルバイトに行かなければならなかった。玄関で、みように明るい声で〝行ってきます〟を言い、表にでてドアをしめたとたんに涙があふれたのだった。泣けて、泣けて、泣きながら駅まで歩き、泣きながら改札口で定期を見せて、泣きながらホームに立って、泣きながら電車に乗った。電車はいつものとおり混《こ》んでいて、かばんをかかえた女学生や、似たようなコートを着たおつとめ人たちが、ひっきりなしにしゃくりあげている私を遠慮会釈《えんりょえしゃく》なくじろじろ見つめた。

「どうぞ」

無愛想にぼそっと言って、男の子が席をゆずってくれた。十九歳くらいだろうか、白いポロシャツに紺のセーターを着た、ハンサムな少年だった。

「ありがとう」

蚊のなくような涙声でようやく一言お礼を言って、私は座席にこしかけた。少年は私の前に立ち、私の泣き顔をじっと見ている。深い目の色だった。私は少年の視線にいすくめられて、なんだか動けないような気がした。そして、いつのまにか泣きやんでいた。

私のおりた駅で少年もおり、私の乗りかえた電車に少年も乗り、終点の渋谷までずっといっしょだった。どうしたの、とも、だいじょうぶ、とも聞かなかったけれど、少年はずっと私のそばにいて、満員電車の雑踏から、さりげなく私をかばってくれていた。少しずつ、私は気持ちがおちついてきた。

「コーヒーごちそうさせて」

電車からおりると、私は少年に言った。

十二月の街は、あわただしく人が往き来《いき》し、からっ風がふいていた。クリスマスまでまだ二週間もあるのに、あちこちにツリーや天使がかざられ、ビルには歳末大売り出しのたれまくがかかっていた。喫茶店に入ると、少年はメニューをちらっと見て、

「朝ごはん、まだなんだ。オムレツもたのんでいい」

ときいた。私が、どうぞ、とこたえると、うれしそうににこっと笑った。

公衆電話からアルバイト先に電話をして、風邪をひいたので休ませていただきます、と言ったのを聞いていたとみえて、私がテーブルにもどると、

「じゃあ、きょうは一日ひまなんだ」

少年はぶっきらぼうに言った。

喫茶店をでると、私たちは坂をのぼった。坂の上にいいところがある、と少年が言ったのだ。

「ここ」

彼が指さしたのは、プールだった。

「じょうだんじゃないわ。この寒いのに」

「温水だから平気だよ」

「水着持ってないもの」

「買えばいい」

自慢ではないけれど、私は泳げない。

「いやよ、プールなんて」

「泳げないの」

少年がさもおかしそうな目をしたので、私はしゃくになり、だまったまま財布から三百円だして、入場券を買ってしまった。

十二月の、しかも朝っぱらからプールに入るような酔狂《すいきょう》は、私たちのほか誰もいなかった。

おかげで、そのひろびろとしたプールを二人で独占してしまえた。少年はきびきびと準備体操をすませて、しなやかに水にとびこんだ。彼は、魚のようにじょうずに泳いだ。プールの人工的な青も、カルキの匂いも、反響する水音も、私にはとてもなつかしかった。プールなど、いったい何年ぶりだろう。ゆっくり水に入ると、からだがゆらゆらして見える。

とつぜんぐんっと前にひっぱられ、ほとんどころぶようにうつぶせになって、私は前に進んでいた。まるで、誰かが私の頭を糸でひっぱってでもいるように、私はどんどん泳いでいた。すっと、糸をひく力が弱まった。あわてて立ちあがって顔をふくと、もうプールのまんなかだった。三メートルほど先に少年が立っていて、私の顔を見てにっこり笑った。私は、泳ぐって、気持ちのいいことだったんだな、と思った。

少年も私も、ひとことも言わずに泳ぎまわり、少年が、

「あがろうか」

と言った時には、壁の時計はお昼をさしていた。

プールをでると、私たちはアイスクリームを買って、食べながら歩いた。泳いだあとの疲れもここちよく、アイスクリームのあまさは、舌にうれしかった。このあたりは、少し歩くと閑静な住宅地で、駅のまわりの喧騒《けんそう》がうそのようだった。私の横を歩いている少年は背が高く、端正な顔立ちで、私は思わずドキドキしてしまった。晴れたま昼の、冬の匂いがした。

地下鉄に乗って、私たちは銀座にでた。今度は私が、〝いいところ〟を教えてあげる番だった。裏通りを十五分も歩くと、小さな美術館がある。めだたないけれどこぢんまりとした、いい美術館だった。私たちはそこで、まず中世イタリアの宗教画を見た。それから、古いインドの細密画を見た。一枚一枚、たんねんに見た。

「これ、好きだなぁ」

少年がそう言ったのは、くすんだ緑色の、象と木ばかりをモチーフにした細密画だった。

「古代インドはいつも初夏だったような気がする」

「ロマンチストなのね」

私が言うと、少年はてれたように笑った。

美術館をでて、私たちは落語を聴きにいった。たまたま演芸場の前を通って、少年が落語を好きだと言ったからなのだが、いざ中に入ると、私はだんだんゆううつになってしまった。デュークも、落語が好きだったのだ。夜中に目がさめて下におりた時、消したはずのテレビがついていて、デュークがちょこんとすわって落語を見ていた。父も、母も、妹も信じなかったけれど、ほんとうに見ていたのだ。

デュークが死んで、悲しくて、悲しくて、息もできないほどだったのに、知らない男の子とお茶をのんで、プールに行って、散歩をして、美術館をみて、落語を聴いて、私はいった

い何をしているのだろう。

だしものは、〝大工しらべ〟だった。少年は時々、おもしろそうにくすくす笑ったけれど、私はけっきょく一度も笑えなかった。それどころか、だんだん心が重くなり、落語が終わって、大通りまで歩いたころには、もうすっかり、悲しみがもどってきていた。

デュークはもういない。

デュークがいなくなってしまった。

大通りにはクリスマスソングが流れ、うす青い夕暮れに、ネオンがぽつぽつつきはじめていた。

「今年ももう終わるなぁ」

少年が言った。

「そうね」

「来年はまた新しい年だね」

「そうね」

「今までずっと、僕は楽しかったよ」

「そう。私もよ」

下をむいたまま私が言うと、少年は私のあごをそっともちあげた。

「今までずっと、だよ」

なつかしい、深い目が私を見つめた。そして、少年は私にキスをした。

私があんなにおどろいたのは、彼がキスをしたからではなく、彼のキスがあまりにもデュークのキスに似ていたからだった。ぼうぜんとして声もだせずにいる私に、少年が言った。

「僕もとても、愛していたよ」

淋《さび》しそうに笑った顔が、ジェームス・ディーンによく似ていた。

「それだけ言いにきたんだ。じゃあね。元気で」

そう言うと、青信号の点滅している横断歩道にすばやくとびだし、少年は駆けていってしまった。

私はそこに立ちつくし、いつまでもクリスマスソングを聴いていた。銀座に、ゆっくりと夜がはじまっていた。

夏の少し前

職員室をでると、洋子はくるりとうしろにむきなおり、おじぎをして戸をしめた。そのまま廊下をはしって階段をおり、つきあたりの教室にとびこんだ。かかえていたさいほう箱がかたかたと鳴る。

ふう。

洋子は小さくためいきをついた。土曜の午後の教室には誰もいない。窓からあざやかな新緑が見える。なんてきれいに晴れているんだろう、と洋子は思った。放課後の教室はふしぎなにおいがする。

廊下がわから二列目の、前から四番目が洋子の席だった。つくえの中にさいほう箱をしまいながら、洋子は柴田《しばた》先生の言葉を思い出していた。

「どうしてかなぁ。あなたはまじめなのに、どうしてこんなに遅いのかなぁ」

洋子は家庭科がにがてだった。一年生の前期課題であるブラウス製作も、ほかの人はそろそろ仮縫いがおわろうとしているのに、洋子一人、最初のダーツ縫いでてまどっていた。だ

から今日のいのこりだって、しかたのないことではあった。

「女の子なんだからさいほうがへたでは困りますよ」

柴田先生はそうも言った。たしかにそうだ、と洋子は思う。女の子なんだから、さいほうがうまいほうがいいに決まっている。洋子は、いすにこしかけたまま、大きくのびをしてみた。新しい制服から、棒のような足がにょっきりと二本、つきだした。あけはなした窓から、五月の風が胸元の白いりぼんにからまって吹きすぎてゆく。

中学に入学して一ヵ月。女子校って女の子ばかりだ、洋子はあたりまえのことを思ってもう一度ためいきをついた。せめて人見知りがなおってくれたら――。校庭から、バレー部員の練習する声がきこえる。

そういえば、涼ちゃんは念願の野球部に入れたんだろうか。洋子はとうとつに、小学校時代にあこがれていた男の子のことを思った。卒業文集に、
中学にいったら野球部に入って、ピッチャーで、四番を打ちたいです。

と書いた、小柄《こがら》な少年だった。あまり話もできなかったけれど、洋子はずっとあこがれていた。四年生の遠足のとき、バスの席がとなりどうしになったっけ。あのとき、いっしょに飴《あめ》を食べたこと、涼ちゃんはおぼえているかしら。

ははそはのははもそのこも、

はるののにあそぶあそびをふたたびはせず。

国語の教科書にでていた詩の最後の二行が、何とはなしに口をついてでた。〝いにしへの日は〟という詩だった。詩の意味はよくわからなかったが、洋子はきれいな言葉だと感じた。はるののにあそぶあそびをふたたびはせず。春の野に遊ぶには、制服はたしかに少しきゅうくつだ、と思いながら、洋子は三度目のためいきをついた。

いきなり教室の戸があいた。戸口には背の高い男の人が立っていた。

「何してるんだ」

男の人は、おこったようにそう言った。白いポロシャツ姿のその人は、すっかり大人になっているとはいえ、涼ちゃんにまちがいない。

「ほら、帰るぞ」

そう言われて、洋子は思わず、

「はい」

と素直に返事をしていた。

立ち上がった自分の姿に、洋子は声をあげておどろいた。大人なのである。水玉模様のブラウスを着ている。

「たった今制服を着ていたのに」

男の人は笑って、

「……そうだね。僕もついこの間まで学生だった気がするよ」

ひっそりとそう言った。

「さ、早くしないと、おもてでえみが待ってるぞ」

えみ。えみ。洋子は男の人のあとについて歩きながらぼんやりと考えた。——そうだ、えみは私の娘だ。全く、どうしてわすれていたんだろう。私は涼ちゃんと結婚したんだ。えみが生まれて、きょうは土曜日で、家族三人でお昼ごはんを食べに来たんだ。そしたら学校の前をとおって、なつかしくなって、ちょっとのぞいてみようと思って——そうだ、思い出した。

えみは、校門のわきで待っていた。

「ごめん、ごめん。お待ちどおさま」

「ママ、おそい」

しゃがみこんで、ほっぺたをふくらませてみせる小さな娘を見て、なんてかわいい子だろうと、洋子は思った。涼ちゃんと二人で、両側からえみの手をひいて歩きながら、なんとしあわせなのだろう、と思った。頭の上には、夏空がひろがっている。

しばらく歩くと、むこうから自転車にのった、中学生くらいの女の子が近づいてきた。

「お。えみ」

涼ちゃんが片手をあげて声をかけた。

「どこへ行くんだ」

「塾《じゅく》」

あれっと、洋子は思った。ぽっちゃりとふとった、目の大きなこの少女はたしかにえみである。ではえみのつもりで手をひいてきた、この小さな子どもは誰だろう。

「いいなぁ、健二はお散歩か」

自転車の上から少女が言った。健二……そうか、健二だ。ああ、しっかりしなくちゃ、と洋子は思った。私には子どもが二人いるんだった。

「ほらほら、遅刻しますよ。車に注意して、はやく行きなさい」

知らないうちに口からとびだした母親らしい言葉に、洋子は自分でどぎまぎした。

「はぁい」

少女は弟の頭をなでてから、すうっと走り去って行った。

三人が信号で立ちどまると、すぐ左手のきんもくせいが、匂《にお》やかに咲いている。信号が青になり、洋子が健二の手をひこうとすると、

「何だよ」

ぞっとするほど低い声がして、ふりかえってみると、そこには洋子よりもはるかに大きな健二が立っていた。

「どうしたのさ、おふくろ」

おふくろ!!　なんということだろう。洋子はがくぜんとして、自分の息子を見つめた。

「手、はなしてよ。俺《おれ》もう行かなくちゃ」

これが、あの、小さな健二だろうか。

「何してるんだ」

信号のむこうで、涼ちゃんが呼んだ。

「あ。はい」

洋子は健二の手をはなし、小走りで信号をわたった。

「私、今、小さい子の手をひいていたのに」

「僕がおぶってるよ。真理子はすぐ眠たがるんだな」

見ると小さな女の子が一人、涼ちゃんの背中で眠っていた。真理子……ああ、真理子か。

えみは結婚して五年にもなるのに、土曜日になるときまってテニスに行ってしまう。赤い車にのってやって来て、

「じゃあ、おねがいしますね」

と言って、真理子をおいていくのだ。困ったものだとは言いながらも、孫がかわいくてつい、にこにことあずかってしまうのだった。

洋子は、涼ちゃんの頭が半分くらい白髪《しらが》になっていることに気がついた。やせた手はごつごつして、しわだらけだ。そしてふと自分の手を見れば、やっぱり、涼ちゃんにおとらずしわだらけだった。そうか、ずいぶん年をとってしまったんだな、と洋子は思った。

「重いでしょ」

「はは。まだまだ平気だ。若いころはこれでも、エースピッチャーで、四番打者だったんだからな」

涼ちゃんは、少年のような目で笑った。

「うふふ。そうでしたね」

ふうわりと、雪がおちてきた。ふうわり、ふうわり、あとから、あとから。

「私ね」

歩きながら、洋子はぽつんと言った。

「私、ずっとながいこと、こんな光景にあこがれていたような気がします」

「こんなって、どんな」

「こんなって、こうして……」

言葉をさがしている洋子の目の前に、汗をびっしょりかいたクラスメイトの顔があった。

「うわぁ。橋本さん」

橋本さんは、すらりと背の高い、日にやけた少女だった。

「こんなって、どんなよ」

「……なんでもない。バレー部の練習、もうおわったの」

「うん。一年生はばっちりしごかれるから、もうくったくた。それよりあなた、こんな時間まで何していたの」

「のこされちゃった。家庭科」

「やだぁ。柴田のヤツ、土曜日にのこすなんてインケン」

橋本さんはひょいっと洋子の肩に手をのばした。

「あれ」

「なぁに」

「今、あなたの肩に白いものがのっかってたんだけど、とろうとしたら消えちゃったわ」

「ああ、雪」

うくく、橋本さんは笑った。

「やぁだ、あなた」

うふふ、と洋子も笑った。

「まさかね、やぁだ」

「ね、アイスクリーム食べて帰ろ。ちょっと待ってて、着替えちゃうから」

「うん」

ははそはのははもそのこも、か。洋子は小さくつぶやいて、夕方の日ざしに目をほそめた。

僕はジャングルに住みたい

夕食のあいだじゅう、恭介《きょうすけ》はきげんが悪かった。きげんの悪い時、恭介はいつも思う。僕はジャングルに住みたい。

「もうすぐ、卒業式ね」

すきやきのなべにお砂糖をたしながら、お母さんが言った。

「そうしたら、恭介も中学生か」

お父さんが言った。

「まだだよ。まだ二月だから小学生だよ」

「でも、もうすぐじゃないか。入学手続きだってすませたんだろ」

「うん」

恭介はぶっちょうづらのまま、しらたきを口いっぱいにほおばった。

今朝、学校に行ったら、女の子たちがサイン帖《ちょう》をまわしていた。もうすぐおわかれだね、とか、さみしいね、とか、そんなことばかり話していた。ひとりが、恭介のところにもサイ

ン帖を持ってきた。

「俺《おれ》、書かないよ」

「どうして」

「だって、さみしくねぇもん」

女の子はきまり悪そうにそこに立っていた。

「何だよ。書きたくないんだからいいだろ」

「もういいわよ。暮林《くればやし》くんになんかたのまない」

女の子はサイン帖をかかえたまま、小走りで自分の席にもどった。みんなの視線が恭介にあつまる。

「ちぇっ、何だよ」

恭介はどすんと席にすわった。机の上に、一時間めの教科書と、ノートと、ふでばこをだす。ちぇっ、あいつも見ていた。ななめ前の方から、暮林くんのいじわる、という顔をして、恭介を見ていた。一時間めは算数だった。担任の大島は男らしくない、と恭介は思う。たとえば今日だって、

「問五、暮林くん、やってみてくれるかな」

なんて言う。

「問五、暮林やれ」

がふつうだと思う。恭介は立ちあがった。

「わかりませーん」

と言う。算数はきらいじゃないけれど、今朝はなんとなくいやな気分だったし、わかりません、と言えば先生が自分でやってくれることがわかっていた。

「わからないのかぁ。問四の応用なんだけどなぁ」

先生は頭をかきながら、黒板に問題をといてみた。

「これは基礎だからね。これがわからないと中学に行って苦労するぞ」

給食は、あげパンと、とん汁と、牛乳とみかんだった。恭介は給食当番で、かっぽう着を着て給食をとりにいく。

「やった。とん汁だ」

恭介は、今までとん汁の日に給食当番になったことが一度もなかった。教室のうしろに立って、一人一人の器にとん汁をつぐ。みんなステンレスのお盆を持って一列にならぶ。あと三人、あと二人、あと一人。恭介はドキドキした。あいつの番だ。

「少しにして」

あいつが言う。恭介は、なるべく豚肉の多そうなところを、じゃばっと勢いよくつぐ。な

みなみとつがれたとん汁をみて、あいつはまゆをしかめた。

「少しにしてって言ったでしょ」

「せんせーっ、野村さんが好き嫌《きら》いします」

恭介が声をはりあげると、大島先生はまのぬけた声でこたえる。

「それはよくないなぁ。野村さん、がんばって食べてごらん」

野村さんは、大きな目できゅっと、恭介をにらみつけた。


お母さんが、恭介のちゃわんに、くたくたに煮えたすきやきのにんじんを入れた。

「好き嫌いしてると背がのびないわよ」

実際、恭介は背が低かった。野村さんは女子の中でまん中より少し小さく、その野村さんとならんで、ほとんどおなじくらいだった。

「もういらないよ。ごちそうさまっ」

恭介ははしをおいて、二階にあがった。部屋に入るとベッドの上に大の字に横になる。野村さんの顔がうかんでくる。動物でいうならバンビだ、と恭介は思う。三年生の時にはじめていっしょのクラスになって、四年生は別々で、五年生、六年生とまたいっしょになった。

野村さんについて恭介が知っていることといえば、保健委員で、とん汁が嫌いで、女子にし

ては足がはやい、ことくらいだった。今朝あんなことがあったから、今日は一日、誰も恭介にサイン帖を持ってこなかった。もちろん野村さんもだ。恭介はベッドからおりて、机のひきだしをあけた。青い表紙のサイン帖が入っている。ちぇっ、恭介はひきだしをしめて、もう一度ベッドに横になった。

中学にいったら生活がかわるだろうなぁ、と恭介は思った。勉強だってしなくちゃいけないし、先生だって大島みたいなのんきなやつじゃないにきまっている。野球とか基地ごっこばかりをやっているわけにはいかなくなる。クラスのみんなもばらばらになってしまう。あいつなんか私立にいってしまうから、なおさら会えない。あーあ。ジャングルに住みたい。

ジャングルに住んだら、と恭介は考える。勉強もない、家もない、洋服も着ない。穴をほってその中で暮らそう。ライオンとゴリラを飼おう。狩りをして、その獲物を食べればいい。皮をはいで毛布にしよう。となりのほら穴にあいつが住んでいて、僕があいつの分も狩りをしてやる。僕とあいつのほかには人間は誰もいなくて、猿《さる》とか、へびとか、しまうまとか、ペットっぽくない動物だけが住んでるといい。

恭介が大島先生に呼びだされたのは、次の日の放課後だった。職員室はストーブがききすぎていてあつい。大島先生は今まで生徒を呼びだしたことなど一度もなかったので、恭介は少しドキドキした。

「わざわざ呼びだしたりして悪かったね」

先生が言った。

「何の用だと思う」

「わかりません」

「そうだよな。ずいぶん前のことだし」

「はぁ」

「去年の春に、遠足に行ったろ。あのとき買い食いしたのは暮林くんだけじゃないって、わかってたんだ。代表でおこられてもらったんだよ。すまなかったね」

「はぁ」

「話はそれだけだ。もうじき卒業だから、きちんと言っておきたくてね。じゃ、気をつけて帰れよ」

「……はい」

いったいなんなんだ。へんなやつ。恭介は下駄箱《げたばこ》でくつをはきかえながら、まだ心臓がドキドキしていた。もちろん、遠足のときのことは恭介もよくおぼえていた。

僕と、高橋と、清水と、それから三組のやつらも何人かいっしょに、アイスクリームを買い食いした。集合の時、僕だけがおこられた。――でも、そんな昔のこともういいよ。教師

があやまるなんて、気持ちわるい。ちぇっ、大島ともあと一ヵ月のつきあいだと思うとせいせいする。

大島先生の言葉や態度は、いつも恭介をイライラさせる。すまなかったね、なんて。もうじき卒業だから、なんて。

「あれ」

下駄箱の奥に、白い表紙のノートが入っている。サイン帖だった。

「誰のだろう」

ぱらぱらとページをめくり、恭介はびくんとして手をとめた。あいつのだ。あいつのサイン帖だ。どのページもみんな、なみちゃんへ、で始まっている。なみちゃんというのは野村さんの名前だった。恭介は、すのこをがたがたとけって校庭にとびだした。冬の透明《とうめい》な空気の中を、思いきり走る。かばんがかたかた鳴る。

家にとびこんで、ただいま、と一声どなると、恭介は階段をかけあがり、自分の部屋に入った。かばんの中からサイン帖をだす。野村さんのサイン帖。一ページずつ、たんねんに読む。おなじような言葉ばかりが並んでいた。卒業、思い出、別れ、未来。

「おもしろくもないや」

声にだしてそう言って、恭介はノートを机の上にぽんとほうった。

その日はそのあとずっと、サイン帖のことが頭をはなれなかった。夕食のあいだも、おふろのあいだも、テレビをみているあいだも、恭介は頭のどこかでサイン帖のことを考えていた。みんなの前で、僕は書かないよって言ったんだ。書けるわけがないじゃないか。それなのにこっそり下駄箱に入れるなんて、絶対、書いてなんかやるもんか。恭介はいつもより少し早く、自分の部屋にひきあげた。

ドアをあけると、机の上の白いノートがまっさきに目にとびこんでくる。あーあ。やっぱり僕はジャングルに住みたい。ジャングルには卒業なんてないもんな。そりゃあ、中学にいけばいいこともあるかもしれない。あいつよりかわいい子がいて、大島よりぼんやりした教師がいるかもしれない。でも、それはあいつじゃないし、大島じゃない。僕だって、今の僕ではなくなってしまうかもしれない。恭介は机の前にすわり、青いサインペンで、ノートに大きくこう書いた。

野村さんへ。

俺たちに明日はない。暮林恭介

いつか観《み》た映画の題名は、そっくりそのまま今の恭介の気持ちだった。

次の日、恭介がサイン帖をわたすと、野村さんは、

「ありがとう」

と言ってにっこり笑った。机のひきだしにしまってある自分のサイン帖のことが、恭介の頭をかすめた。あいつの下駄箱に入れておいたら、あいつは何て書いてくれるだろう。女の子だから、やっぱり思い出とか、お別れとか、書くんだろうか。恭介は、首のあたりがくすぐったいような気がした。教室の中は、ガラスごしの日ざしがあかるい。

「おはよう。みんないるかぁ」

教室に入ってきた大島先生が、いつものようにまのぬけた声で言う。もう三月が始まっていた。

桃子

のう、お客人。あなたも困った方だ。よっぽど好奇心がお強いとみえる。まぁもっとも、覗《のぞ》くなといわれれば覗きたくなるのが、人間の心理というやつでしょうがな。おや、汗をかいておられる。御安心なさい。あいつはあの部屋からでてきやしません。それに、あんな姿はしておっても、生身《なまみ》の人間です。天隆《てんりゅう》といいましてね、修行僧ですよ、この寺の。

もう五年も前になりましょうか。この寺に小さな女の子があずけられて来ました。両親が事故で亡《な》くなって、ひきとり手である伯母夫婦が海外出張中でしてな、帰国するまでの三ヵ月間、寺であずかることにしたのです。桃子《ももこ》といって、七歳になったばかりの、線の細い頼りなげな子供でしたわ。

天隆は当時十九歳で、山に入って二年目の、まじめな修行僧でした。それまでは受所《うけしょ》を担当していたのですが、私はこれに桃子の世話係を命じました。世話係といっても、桃子は私の部屋に寝起きしておりましたし、天隆にしても他の修行僧たちと同様、朝夕の読経《どきょう》や坐禅《ざぜん》、毎日の作務《さむ》などが課してありましたから、実際には昼間の遊び相手、という程度のものでし

たがね。

一体、桃子というのは無口な子供で、ちぃとも笑わん、ちぃともしゃべらん、おまけに時時妙に大人っぽい表情をしおりましてな、それがあどけないおかっぱ頭に不似合いで、一種色っぽい感じがしたものです。いや、そう驚いた顔をせんで下さい。七歳とはいえ、女はばかにできませんぞ。

その桃子が、天隆にはえらくなつきましてね。廊下に石ころをならべて店屋のまねごとをしている時だとか、座敷でかくれんぼをしている時だとか、天隆の前ではよく笑うようになりました。

ある日、私が座敷からみていると、桃子にせがまれた天隆が、庭でセミをとっておりました。よく晴れた、八月の朝でした。桃子がなおも何かせがんでいると思ったら、天隆はやおらセミの羽をむしりとり、そのセミを縁側におくと、二人してにやにやしながら見物しはじめたのです。セミは突然の災難にあたふたと右往左往したあげく、ぽとんと庭におちてしまいました。

その夜、私は天隆を呼んで殺生《せっしょう》をとがめました。天隆はうなだれて、

「申し訳ございません」

と言い、その目は真剣に罪を悔いているようにみえました。

ところが、それからも彼らの遊びは日ましにエスカレートしおりました。みみずを日なたにおいて乾かすだの、蟻《あり》を水におぼれさすだの。天隆をとがめてもわびるばかりで埒《らち》があかないので、私は一度桃子を呼んで問いただしてみましたが、なだめてもすかしても、桃子はだんまりを決めこんでいました。口をきゅっとむすんで、それはもう強情でしたわ。すると突然、えらい勢いで襖《ふすま》があいて、そこには青ざめた天隆が立っておりました。

「私が悪いのです」

「お前を呼んだおぼえはないぞ」

天隆は頭を畳にこすりつけてわび、桃子はそれをじっとみていましたが、ふいとこちらに向きなおると、

「もういたしません」

と言いおりました。

たしかにそれ以来、二人は殺生をやめたようでした。とはいえ以前のように店屋のまねごとだのかくれんぼだのをするわけでもなく、たいてい、二人して部屋にとじこもっとるばかりでした。

天隆の様子がおかしくなったのもそのあたりからで——御存知のように坐禅というのは精神鍛練ですからね——あれの坐相は日ごとに乱れていきましたわ。背中にくっきりと邪念が

あらわれましてな。そればかりか読経の声はにごり、ぞうきんがけをする音までにぶるという具合でした。むろん、表情そのものがよどんでおりました。

桃子はといえば、反対に目にみえて生き生きとしてきたものです。

そんなある夜、目をさますと桃子の布団《ふとん》がからでしてね、あわてて修行僧たちの寝床へ行くと、案の定、天隆もおらんのですわ。下駄《げた》をつっかけて表にでると、そりゃあきれいな三日月夜でした。しばらく探していると、小川の向うで二人がほたるを追っておりまして、楽しそうにはしゃいどるんですわ。夜の空気の中に、二人の白い浴衣《ゆかた》がぼんやりてらしだされとりました。

その時に声をかけそびれてしまった私は、翌朝、天隆を部屋に呼びました。天隆はうつむいて、

「邪念がはなれないのです。ぬぐいさろうとすればするほど心をおおってしまうのです」

と言いおりました。私が黙っていると、頭をまっすぐに起こして私の顔をみすえ、

「恋をしております」

と言う。

「ほ。恋とな。恋」

私は一笑にふしてしまいました。

「天隆。一体どうしたのだ。桃子はまだ子供ではないか。それを恋だなどと」

天隆はふたたびうつむいて、

「和尚様《おしよう》は、恋をお忘れですか」

と言いおるのです。

「もうよい。さがれ。桃子ばかりではなく、お前も子供だ。第一、修行中の身ではないか、しばらく禅堂ですわっておれ」

実際、私はめんくらってしまいました。

天隆が山をおりたいと言いだしたのは、それから一週間ほどあとのことでした。桃子と二人で私の部屋にやってくると、

「おいとまをちょうだいいたしたく存じます」

と言って手をつきました。教えられたとみえて、天隆の横にちょこんとすわった桃子まで、いっしょになって手をつくのです。ふっくりと白い、小さな手でした。その日はちょうど夏祭りで、笛だの太鼓だのが遠くにきこえておりました。

「山をおりて、どうするのじゃ」

「仕事をみつけて、桃子と暮らそうと思います。桃子も身寄りがありません」

「馬鹿《ばか》を言うなっ」

私はどなりました。

「山をおりたければ一人でおりろ。桃子は大切なあずかりものじゃ」

桃子は両手をひざの上にのせたまま、黙ってぽろぽろ泣いておりました。

「天隆。これから桃子の世話は私がみる。お前は二日間断食《だんじき》をせい。まる二日すわって、それでも山をおりたければおりるがいい。桃子はじきひきとられていく身じゃ。寺からだすわけにはいかん」

みこしをかつぐ男衆の声が、すぐそばまでひびいておりました。

九月になると、空気がにわかに澄み、山の風は涼しくなりました。あれから天隆は二日間の坐禅をくみ、受所係の修行僧にもどりました。死んだようにうつろな目をして、それでも言われただけの仕事はこなしておりました。桃子も、もとの笑わん子供にもどったとはいえ、おとなしく本など読んですごしとりました。私は安直に胸をなでおろし、子供の心など時がたてばどうにでもなるものと、たかをくくっていたのです。

桃子の伯母夫婦というのが寺に来たのは、九月も半ばのことでした。その日は修行僧が全員本堂にこもって読経する日でしたので、天隆にも気づかれずに桃子をひきわたすことができました。桃子は思いの外すなおで、いわれるままに挨拶《あいさつ》をしたりしていましたが、いざタクシーにのろうという段になるとみるみる涙がふくらんで、うつむくとほたほたとおちまし

た。しゃくりあげるとおかっぱが揺れ、かすかにからだがうかんだかと思うと、次の瞬間、桃子はくちばしの赤い、きゃしゃな白い小鳥になっていました。

ええ、そりゃあ信じて下さらんのももっともですわ。それでも、鳥はたしかにあの時、まるい目で私の顔を見上げていました。そして秋のはじまりの空気のなかを、ゆっくりと飛び去って行ったのです。あとには赤まんまが二、三本、風に揺れているばかりでした。

本堂にもどってみると、修行僧たちの読経が、低くきこえていました。うしろの扉《とびら》をあけると、うすぐらい部屋の中に五十人ばかりの後姿がならんでおり、天隆もまん中あたりで読経しておりました。そしてその天隆の頭のてっぺんから、細い茎が十センチばかりのび、青い青い花が咲いているのです。あの花の青さといったら、あたりの声をすいこんで、そこだけ深閑とつめたいようでした。

白い小鳥がもどってきたのは、それから半年ばかりすぎた頃《ころ》でした。あとは、あなたが御覧になった通りです。花はどんどん青さをまして美しく咲きつづけ、鳥は花の上にすみついて、天隆はみるみるやせおとろえ、今では目ばかり大きくなってしまいました。そうして五年間、ただ毎日ああやってひとところにすわったまま、呆《ほう》けたようにぼんやりと暮らしておるのです。

のう、お客人。人を恋するということはえらいことですわなぁ。ほんとうにえらいことで

すわ。さぁ、夜もふけました。床をとらせましょう。こんな山奥まで歩かれて、さぞお疲れになったことでしょう。おや、今夜も三日月がきれいですわ。

草之丞《くさのじょう》の話

世間知らずで泣き虫で、夜中に一人でトイレにも行かれないおふくろが、いったいどうして女手一つで、これまで僕を育ててこられたのか、ふしぎには思っていた。それでも、女優というのはよほどもうかる商売なのだろうと、僕はのんきに考えていた。

五月。僕は中学にも慣れ、さっそく午後の授業をさぼって映画をみに行った。すると電車の中に、桜色の着物を着たおふくろがいた。

(どこに行くんだろう)

そうは思っても、こちらも学校をぬけだしてきた身、うかつに声もかけられず、遠くからながめていた。おふくろは、小さなふろしき包みをひざの上にかかえていた。

電車をおりたおふくろは、駅前商店街をぽくぽくと足ばやに歩き、八百屋の前で立ちどまった。そして、おもむろにふろしき包みをほどくと、中からあじの干物《ひもの》(らしきもの)をとりだして地面におき、まるで墓参りでもするように、しんみょうに手をあわせるのだった。あっけにとられている僕のそばをすりぬけて、おふくろはさっさと駅へひきかえしてしまっ

た。

七月。朝寝坊をした日曜日、パジャマのまま台所に行くと、おふくろは庭にでていた。よく晴れた、しずかな午後だった。びわの木の下に立って、おふくろはさむらいのかっこうをした男と話をしている。紺の着物に刀をきちんとぶらさげて、ちょんまげもりりしいさむらいだった。おおかた、ふうがわりな役者仲間だろうとは思ったが、それにしてはさむらい姿が板につきすぎている。これが草之丞だった。

おふくろは日傘《ひがさ》をくるくるまわして、まるで女学生のように頰《ほお》をそめている。サンダルをつっかけて、僕も庭にでた。

「おはよう、母さん。お客様なの」

おふくろはびくっとして、しばらく僕の顔をみつめていたが、やがてにっこりと微笑《ほほえ》んだ。

「草之丞さんといってね、お父様ですよ、あなたの」

僕は、僕の心臓がこんなにじょうぶでよかったと思う。

おふくろの話はこうだった。草之丞は正真正銘《しょうしんしょうめい》のさむらいで、また正真正銘の幽霊で、おふくろに一目惚《ひとめぼ》れをした。おふくろがまだ新米女優だったころ、舞台で時代劇の端役《はやく》をやった。セリフはたった一言だったけれど、あの世で見物していた草之丞は、そのたった一言のセリフ、『おいたわしゅうございます』にすっかりまいってしまい、やもたてもたまらず、

下界にやってきたのだ。二人はめでたく恋におち、僕が生まれたというわけだった。

「それからの十三年間、草之丞さんはいつだって私をたすけて下さったのよ」

「たすけるって、どうやって」

「いろんな相談にのってくださるし、眠れない夜には子守唄《こもりうた》もうたってくださるし、お金にこまったら、お金も貸してくださるわ」

「幽霊が、金を」

「ええ。たいせつな刀やお皿を売ってね」

「……」

「だから私も、五月には供養《くよう》をかかさないの」

おふくろの説明によれば、元和《げんな》八年五月七日、草之丞が壮絶なる一騎打ちの末にあの世へいった野っ原が、現在のあの、八百屋だったらしい。つまりおふくろはあの日、五月七日の命日に、草之丞の好物をかかえて、いそいそと墓参りに行ったのである。僕は絶句してしまった。

草之丞は、ちかくで見ると思いのほか大きく、なかなかの二枚目だった。肩をいからせて、うつむいている。ひどく緊張しているようだった。もちろん僕も緊張していた。

「二人とも黙っちゃって、どうしたの」

ふしぎそうに言ったおふくろをみて、どこまで天真爛漫《てんしんらんまん》な人だろう、と僕は思った。

「はじめまして」

しかたなく、僕の方から口をきった。

「こんにちは」

ひくい声だった。

「そなたにとっては、はじめましてなのだね。私はいつも、そなたを見ていたのだが」

へんな感じだった。いつも見ていた、なんて気味が悪い。僕はぶっきらぼうにおじぎをして、さっさと部屋にひきあげた。僕は、幽霊の息子だったのだ。

その日以来、草之丞はしょっちゅう僕の前にあらわれた。幽霊だという立場もわすれて、草之丞はじつに堂々と人前にでるのだ。彼はよく、学校のそばで僕を待ちぶせていた。いきなりとびだしてくるので僕がおどろくと、草之丞はきまって、

「やっぱりこわいか」

とぼそっと言い、ひっそりとわらう。

草之丞と歩いていると、みんなが僕たちに注目した。しかし、さわいだりこわがったりする人は一人もいない。まさか本物のさむらいだとは思わないらしい。それに味をしめて、草之丞はまったくだいたんに街を闊歩《かっぽ》した。歩きながら彼はよく唄をうたった。やさしい声を

していた。それが、彼のぶっちょうづらには不似合いだった。

草之丞と僕とは、毎日いっしょに散歩をするようになった。おふくろはますます天真爛漫で、僕らはまるで家族のように、いっしょに食事をし、いっしょにテレビをみた。

十月のある夜、おふくろによばれてふろ場に行くと、草之丞が入っていた。

「お父様の背中、ながしてさしあげなさい」

思わずあとずさりした僕の気も知らず、おふくろはにこにこして出ていった。こうして、とりのこされた僕は幽霊と混浴することになったのである。

草之丞のからだは、白くてきれいだった。ふろ場の窓からは三日月がみえた。

「そなたは、さむらいの息子がいやか」

湯ぶねにつかっていた草之丞が言った。

「やぶからぼうに」

僕は少しあわてて、つっけんどんに言った。

「風太郎、そなたはいくつになる」

「十三」

「そうか。もう一人前の男だな」

草之丞はひっそりと笑い、僕は胸がしわっとした。

十二月。ごちそうと、ぶどう酒と、レコードと、それはまさに、絵にかいたように上出来のクリスマスだった。僕とおふくろは、草之丞に赤いセーターをプレゼントした。草之丞はそれを着物の上からすっぽりと着て、

「これはあたたかい」

と言った。

「すまんことをした。クリスマスに贈り物をするなどという習慣を、まったく知らなかったものでね」

とも言った。もちろん僕たちは、贈り物など最初から期待してはいなかった。

おふくろと草之丞はワルツを踊り、僕は踊っている両親をみて、うふふ、と笑った。なぜだか、うふふ、と心から笑わずにはいられなかった。

踊りおわると、草之丞が言った。

「風太郎、今度はそなたの番だ」

もちろん僕は、大あわてでことわった。おふくろとワルツだなんて、じょうだんじゃない。

草之丞は、彼がよくする片頬だけのひっそりわらいをうかべて、

「そうか」

と言った。

「しかし、これからは子守唄だけでもうたっておあげ。私はもうここにはこないから。れいこさんは、風太郎にまかせる」

僕はぎょっとした。まったくとつぜんのことだった。今まで心のどこかで感じていた、そのくせ知らん顔をきめこんでいた、そんな責任がにわかに僕の上にふってきた。おふくろはただ立ちつくし、子供のように素直な声で言った。

「行かないでください」

「自然なことです。もう、私は必要ない」

「行かないでください。行かないでください」

おふくろは、ほかの言葉を知らないかのようにくりかえしている。蚊のなくような声だった。僕はどうしていいのかわからなくて、とりあえずおふくろの肩をだいてみた。

「れいこさんをよろしく」

草之丞が頭をさげると、おふくろはようやく観念したらしく、はっきりとした口調でこう言った。

「私が死んだら、この家はお花畑にしてもらいます。そのお花畑のまんなかに、お墓をつくってもらいます。そうしたら、そこでいっしょに暮らしましょう」

草之丞は、ゆったりとわらった。

「では、さらば」

草之丞はきっぱりと言って、ごく普通の人間がするように、玄関から出ていった。そして、それきりだった。

これが、草之丞の話のすべてである。おふくろは、今でも毎年、五月になるとあじをかかえて、八百屋の前で手をあわせている。

鬼ばばあ

時夫は、マンションの駐車場にとめてある赤い車のかげにしゃがみこんで、じっと息をつめていた。うすぐらい駐車場にたかたかと足音がひびき、心臓が、いたいほどドキドキする。

「ゆたかみーつけっ。真理子みーつけっ」

ひろしがさけび、みんないっせいに走りだした。駐車場をとびだすと空気がうす青く、もう夕方がはじまっている。わーっという歓声があがり、ひろしがカンをけって、今度はゆたかが鬼になる。

カポーン。あちこちへこんだあきカンが、まのぬけた音をたてても一度けられ、鬼をのこしてみんなかけだした。時夫は、T字路まで走って思い出したように立ちどまり、くるっとうしろをふりむいた。

「やっぱり」

やっぱり、だった。青屋根のたてものの窓から、きょうもおばあさんが見ている。青屋根のたてものは、そこからへい一つへだてたキャベツ畑のむこうにあった。

「オレ、ぬける」

ぽつんと言って、時夫はへいによじのぼると、ひょいととびおりた。ほこっと土のにおいがする。

「おい。どこ行くんだ。養老院だぞ」

背中ごしにゆたかの声がした。その青屋根には、ボケてしまった老人がたくさんいるので、子供たちはこわがってちかよらないのだ。若い女の人の血をすって生きているおばあさんがいるとか、子供の肉でつくったハンバーグが大好物のおじいさんがいるとか、いろんなうわさがあった。

この養老院では週に一度、老人たちに看護婦さんが何人かつきそって、散歩に行くことになっていた。時夫とおばあさんが出会ったのも、そんな散歩の時だった。もう一ヵ月ほど前になるだろうか。川ぞいの道でお父さんとキャッチボールをしている時夫を、おばあさんは土手からながめていた。

「行くぞ、時夫」

お父さんがそう言った時、やおら立ち上がったおばあさんはとつぜん、大きな声でこう言ったのだ。

「あんた、トキオ、いうんか。わたしはトキ、いうんじゃよ」

びっくりするほどしっかりした足どりで、つかつかとちかづいてきたおばあさんは背がひくく、日にやけて、やせていた。

「友達に、なってくれるかの」

おばあさんは破顔一笑《はがんいっしょう》、そう言った。

それから毎日、おばあさんは窓から時夫を見つめていたのだ。あそびに来てほしいのかもしれない、時夫は何度もそう思ったが、その勇気はなかった。キャベツ畑のむこうの青屋根といえば、子供たちにとって、おばけ屋敷もおんなじだったのだ。

けれども、もう決心した。時夫はぐっと胸をはり、キャベツ畑のまん中の細い小道を、どんどん歩いていく。

「もどってこいよ。鬼ばばあがいるぞ」

「ハンバーグにされちゃうから」

みんなの声が、うしろからきこえていた。

小さな玄関を入り、病院のような待ち合い室をぬけると階段があり、窓を目印にいくと、おばあさんの部屋はすぐにわかった。色あせた畳の上に冷蔵庫とテレビがおいてある。時夫は帽子をとっておじぎをした。

「待っとったよ。これはルームメイトのゆりこさんに、げんさんに、ひさしさん。これは私

の友達のトキオ」

おばあさんはじゅんぐりに紹介し、冷蔵庫からジュースをだしてくれた。おばあさんが〝ルームメイト〟という言葉を使ったのがなんとなくおかしくて、時夫は心の中でくすっと笑い、緊張が、するっとほどけた。

「毎日毎日、カンけりしとったなあ」

おばあさんが言って、

「トキさんはまた、それを毎日毎日、見とったなあ」

ひさしさんが言った。ひさしさんは白髪頭《しらがあたま》を短く刈った、色白のおじいさんだ。

「見ていると、私もいっしょに遊んでいるような気がしおってね」

おばあさんははずかしそうに笑うのだった。

ゆりこさんと呼ばれたおばあさんは長い髪を左がわでおさげに編んで、白い浴衣《ゆかた》を着ていた。部屋のすみの赤い座布団《ざぶとん》の上にすわって、一心にお手玉をしている。時夫の視線に気がつくと、しずかに、ふわっと笑った。小さな、白い、あどけない顔だった。

「アイスクリームがあるからおあがり。あんたのために買《こ》うといたに」

おばあさんが言った。紙のカップに入ったバニラアイスはかちかちにかたまって、冷蔵庫のにおいがついていた。ずいぶん前から買ってあったんだな。時夫はそう思いながら、さっ

きから窓のそばでたばこをすっている、げんさんというおじいさんの横顔をちらりと見た。むっつりして、少しこわい横顔だった。

「テレビ、みようか。そろそろ大乃国《おおのくに》がでるころだな」

ひさしさんが言った。

「大乃国？　だめだめ、すもうは舛田山《ますだやま》だよ」

「おっ、しぶ好みだな」

おすもう好きのひさしさんと、やっぱりおすもう好きの時夫とはすっかり意気投合し、ハンバーグだなんてうそばっかり、と、時夫は心の中でつぶやいた。

その日以来毎日、学校から帰ると時夫は養老院に遊びにいった。おばあさんがどっさり持っているおはじきや昔のお金、古い写真や思い出話は、冷蔵庫でひえているアイスクリームやバナナよりももっと魅力的だった。

ある日、おばあさんが時夫を散歩にさそった。

「ホームの庭は、きょうちくとうがさかりだからね」

ほんとうに、ぽってりと紅《あか》いきょうちくとうの花が、夏の日ざしの中で眠たそうに咲いていた。セミがうるさく鳴いている。

「たまには気をきかせなくちゃね」

時夫がきょとんとしていると、おばあさんはいかにも重大な秘密のように、

「ゆりこさんとげんさんよ」

と言った。時夫はまじめな顔で、

「へぇ」

とこたえたが、なんだかふしぎな感じだった。おじいさんとおばあさんでも恋をしたりするなんて、時夫には思ってもみないことだったのだ。

その夜、晩ごはんを食べながら、お母さんが言った。

「あんまり食べないのね」

「きょうはおばあちゃんのところで、スイカ食べたからね」

「こまったわねぇ」

お母さんは小さくためいきをついた。

「ごめん。これから気をつけるよ。夕方になったら、すすめられても食べない」

「食べものだけのことじゃないのよ」

「じゃ、なあに」

時夫がきくと、お母さんはお父さんの顔をみた。

「とにかく、養老院にばかり遊びにいくのはよしなさい」

それまでテレビで野球をみていたお父さんが言った。

「どうして」

「どうしてもだ」

友達になったのに行っちゃいけないなんてことあるもんか。時夫はふくれっつらをして、エビフライにかじりついた。

夏休みも半分がすぎたころ、時夫がいつものようにおばあさんの部屋にあそびにいくと、階段の上にげんさんが立っていた。白いランニングシャツから、やけた腕をごつごつとだして、やっぱりたばこをすっている。

「もう、トキさんのところに行くのはやめた方がいい」

時夫は腹が立った。お父さんならまだしも、げんさんにそんなことを言われるすじあいはない。

「どいて下さい」

まっすぐおばあさんの部屋に歩いていく時夫のうしろ姿を、げんさんは階段の上に立ったままみつめていた。

ドアをあけると、おばあさんは窓のそばにすわっていて、時夫をみても知らん顔だった。

「こんにちは」

時夫があいさつすると、おばあさんはふかぶかと頭をさげた。

「おとといから、急にボケちゃったんですよ」

ひさしさんがあっさりと言い、おばあさんはぼんやりと、窓の外をみていた。時夫が半信半疑のまま立っていると、とつぜん、おばあさんがかん高くさけんだ。

「トキオッ。トキオじゃないか」

おどろいている時夫にしがみついたおばあさんは、ものすごいぎょうそうで髪をふり乱していた。

「やっとみつけたよ、トキオ。もうにがすもんか。ここから出しとくれよぉ、トキオ。死んでもいっしょだよね。友達だもんね」

ほそくてしわだらけの腕の、いったいどこにこんな力があったのか、げんさんが入ってきておばあさんをおさえてくれたあとも、時夫はしばらく動けなかった。背中がつめたくて、ひざに力が入らないのだ。部屋の奥では、ゆりこさんがお手玉をしていた。ひさしさんはおすもうをみている。

やっぱり鬼ばばあだ。みんな鬼ばばあと鬼じじいだ。

「ちきしょう」

時夫は、そうさけぶが早いか駆けだしていた。こわくて、くやしくて、涙がとまらないの

だ。目のすみで、きょうちくとうの花がゆれていた。

それから、時夫はカンけりの日々にもどり、青屋根でのできごとは、誰にきかれても口をきつくむすんだまま、こたえようとしなかった。そのうちに、みんな青屋根のことは何も言わなくなった。学校に行き、学校から帰り、晩ごはんまで表であそぶ、いつもの生活がもどってきたのだ。いつのまにか、秋がきていた。

「時夫みーつけっ」

ゆたかの声がして、時夫は、誰かがゆたかより先にカンをけってくれることをねがいながら、マンションの植えこみからごそごそとはいだした。次の瞬間、時夫はびくんとからだをかたくした。前から、おじいさんが二人とおばあさんが二人、二人の看護婦さんにつきそわれて歩いてくるのだ。週に一度の散歩の日だっ。時夫は、心臓がとびだしそうにドキドキし、ゆびさきがぞわっとつめたくなった。かくれたいのに動けない。おじいさんは、げんさんとひさしさんだった。おばあさんは、ゆりこさんともう一人、知らないおばあさんだった。

「やぁ、トキオくん。ひさしぶりだね」

ひさしさんが、片手をあげて言う。

「……はい」

時夫がやっとの思いで返事をすると、ひさしさんはにっこり笑って、

「こちらはヤエさん。青森出身なので、出羽《でわ》の花《はな》がひいきなんですと」

と、うれしそうに言った。そのおばあさんは大がらで、ざんぎり頭だった。黙りこんでいる時夫の疑問にこたえるように、げんさんが言った。

「トキさんは、ちがう部屋にうつった」

時夫はほっとした。何だ、死んだわけじゃないんだ。そんな時夫の気持ちをみすかしたように、げんさんはにやっと笑って、ごつごつした手をゆりこさんの背中にまわし、ゆりこさんをかばうようにして行ってしまった。ゆりこさんは、長い髪をあいかわらずおさげに編んで、小さな、しわくちゃの紙袋を持っている。知ってる。あの中にはお手玉が入ってるんだ。あの人はあれを、かたときもはなさない。時夫は、老人たちのうしろ姿を見送りながら、夏の日、きょうちくとうの咲く庭で、

「ゆりこさんとげんさんよ」

と言ったおばあさんの、いたずらっぽい顔を思い出していた。

T字路から、ひろしが走ってきた。

「時夫、何ぼーっとしてんだよ。おまえが鬼だぜ」

「あ。うん」

もうすっかり日が暮れて、家々の窓から晩ごはんのにおいがしている。

「あ。うちハンバーグ。私いっちぬけたぁ」

真理子がぱっときびすをかえして走っていった。

「オレも、もう帰るよ」

時夫がそう言うと、

「何だよ、オニヤメかよ」

ひろしが不服そうに口をとがらせた。時夫はあいまいにごまかし笑いをして、ひろしとゆたかに手をふった。

その日はずっと、あの老人たちの姿が時夫の頭からはなれなかった。新しいルームメイトと楽しそうにしゃべっていたひさしさんを思い出すと、時夫はひどくいやな気持ちになるのだった。あんなにあっけらかんとしちゃってさ。それに、時夫は、げんさんとゆりこさんがよりそって歩いていたのも気に入らなかった。なぜだか、おばあさんがかわいそうな気がしたのだ。僕には関係ない。いくらそう思ってみても、気持ちはちっとも晴れなかった。

次の日も、その次の日も、時夫の頭のすみに、おばあさんのことはひっかかったままだった。ボケると、部屋をうつされちゃうんだろうか。今度も、ルームメイトがいるんだろうか。ボケたら一人部屋になるのかもしれない。あばれるから、ろうやみたいな部屋かもしれない。時夫の胸にろうやの中にぽつんと一人ですわっているおばあさんの姿が、うかんできた。ぞ

っとして、頭をふり、いやな考えをおいだそうとした。

「いくぞーっ」

でこぼこのカンをめがけてゆたかが走ってくる。あ、オレ、鬼だったっけ。ゆたかがカンをけり、時夫はそれをひろうと目をつぶって十かぞえた。みんながかくれにいく足音がする。

「……七、八、九、十っ」

ぱっと目をあけると、秋の日がさしたキャベツ畑がへいごしに見え、その向うの青屋根の、はじっこの窓におばあさんの顔がのぞいていた。おばあさんの目は、ぼぉっと、無表情に、時夫をみつめている。

「オレ、ぬけるっ。ごめんっ」

かくれているみんなに聞こえるように思いきり大きな声でそう言うと、時夫はへいをよじのぼった。

夢中で走ったので、青屋根についた時には息がきれて、肩もおなかも、はあはあ波うっていた。階段をのぼり、はじっこのドアをノックすると、細い声がはい、とこたえた。そこはちゃんとした畳の、テレビも冷蔵庫もある部屋だった。病院のようなベッドが二つおいてあって、おばあさんはベッドの上にぺたんとすわって外をみているのだった。もう一つのベッドには誰かが寝ていた。ふとんを頭までかぶっているので、時夫には、それがおじいさんな

のかおばあさんなのかもわからなかった。

「こんにちは」

時夫が礼儀ただしくおじぎをすると、おばあさんもおじぎをした。時夫のことは、まるで覚えていないようだった。ずいぶん小さくなったみたいな気がする。時夫とおばあさんはむきあったまま、黙っておたがいの顔をみつめていた。とつぜん、おばあさんがにたっと笑った。顔全体がふにゃっとくずれるような、奇妙な笑い方だった。

「バナナ、食べるかい」

「うん」

「冷蔵庫からだしておあがり」

「うん」

「わたしはトキ、いうんよ」

「うん」

「あんたは？」

「時夫」

おばあさんはきょとんと、目をまるくした。

「ふうん。あんた、トキオ、いうんか」

「うん」

「わたしはトキ、いうんよ」

「うん」

時夫は、何度も〝うん〟をくりかえした。そのたびに、おばあさんはうれしそうににたっと笑うのだった。

学校から帰ると、時夫はまた毎日、おばあさんのところに遊びにいくようになった。けれどもいつも、ほんの十五分だった。十五分するとおばあさんは疲れて、ことんと眠ってしまうのだ。それで時夫は、おばあさんのところに行ったあと、みんなと、好きなだけカンけりができた。カンけりをしながらふっと青屋根をみると、昼寝からさめたおばあさんの顔が、窓からのぞいていたりした。おばあさんは時夫をながめていることもあったが、もっとずっと遠くをながめていることもあった。

時夫が遊びにいくと、おばあさんは時夫を覚えていることもあったし、覚えていないこともあった。覚えていない日はもう一度、

「わたしはトキ、いうんよ。あんたは？」

からやりなおさなくてはならなかった。十二月の、最初の月曜日がそうだった。おばあさんは時夫にみかんをむいてくれながら、

「おんなじ名前だな」

と言って笑った。十五分たっても、おばあさんはその日眠らなかった。目をぱちぱちさせながら、笑ったりしゃべったりしている。三十分たっても眠らない。昔のことをうれしそうにしゃべるだけでなく、時夫のことや学校のことも、しきりにききたがった。時夫が、ゆたかやひろしのことを話すと、おばあさんは夢みるような口調で、

「会ってみたいなあ」

と言った。それでつい、

「今度つれてくるよ」

と言ってしまった時夫は、言ったあとで後悔した。それでも、興奮した調子で、

「ほんとか」

とたたみかけてくるおばあさんの顔をみれば、

「うん」

とこたえるほかなかった。

「それじゃ、僕……」

時夫が言いかけると、おばあさんはさびしそうな顔をした。子どものような顔だった。

「もう、帰るんか」

「うん、また来る」

おばあさんは心細そうに笑って、待っとるよ、と言った。

冬休みはあっという間にやってきた。クリスマスがきて、お正月がきて、時夫は家族旅行に行った。そうして、一月もなかばになってようやく、一ヵ月ぶりにおばあさんの部屋をたずねると、おばあさんはもういなかった。

「ちっとも苦しまれませんでしたよ」

看護婦さんが言い、時夫は頭がぐらぐらした。

待っとるよ、

と言ったおばあさんの顔が目にうかんで、呼吸がはやくなる。

階段をかけおりて、庭をぬけ、目のはじをかすめたのは冬枯れたきょうちくとうだった。つめたい風がふいていた。待ってるって言ったくせに。待ってるって言ったくせに。時夫はへいをとびこえて、マンションまでいっきに走ると、駐車場の車のかげにしゃがみこんで泣いた。

一ヵ月たって、二ヵ月たって、三ヵ月たって、春がきた。時夫は五年生になった。

「今度は私が鬼よ。時夫くんは最初のカンけって」

真理子が言う。

「とばすぞ」

時夫は助走して、でこぼこのカンをけった。おばあさんのことは、もうめったに思い出さなくなっていた。それでも時々、こんなふうにカンけりをしていると、ふと青屋根をみあげていたりするのだった。

青屋根の窓におばあさんの姿はなく、きょうちくとうが、そろそろ芽ぶきはじめていた。

夜の子どもたち

涼介《りょうすけ》たちの気に入りの遊びは、何といっても基地ごっこだった。そりゃあファミコンもすてがたいし、少し前にはビックリマンチョコのシールあつめもはやったけれど、今は、やっぱり基地ごっこだった。これは、南小学校五年二組の仲間のあいだではやっている遊びで、町のまん中へんにある梅林の中にいくつか基地をつくり、よその基地をスパイしたり、いざとなったら戦争をしたりする遊びだった。基地はそれぞれダンボール箱やふるいテーブルクロスを使って入念につくられていて、女の子たちはその中でごはんをつくり、時には男の子以上に勇敢に、「兵器」となる梅の実をひろいにでかけたりした。梅林は立ち入り禁止なので、大人にみつかるとひどくしかられる。それがこの遊びのスリルを、いやがうえにもますのだった。

その日も、涼介たちは夢中になって基地をまもっている。右手前方十五メートルほどのところにある、浩一《こういち》の基地が当面の敵だった。梅の実爆弾による爆破の天才、浅井真吾《しんご》が涼介の片腕としてはたらいていたので負ける気づかいはなかったが、それでも、水を使った速攻

を得意とする浩一の基地は、なかなかてごわかった。それに、特定の基地を持たずに林の中をうろうろしているゲリラたち（学級委員の田中と、でぶのさとしが指揮をとっていた）が、枝をふりかざしていつうしろから攻め込んでくるかもわからなかった。

しんちょうな計算とだいたんな行動力、それにおそろしいほどの体力が要求される遊びだったので、夕方になると、みんなくたくたにつかれはててしまう。それでも、家々の窓から夕食のにおいがただよい、夕日がしっとりと土をてらすなかを、泥《どろ》だらけのくつのまま歩いて帰るのは、えも言われず気分のいいものだった。涼介たちにとって、きょうはきのうの続き、あしたはきょうの続きにすぎなかった。毎日がれんめんと、はてしなく続いているように思われた。彼らにとって、一日の終りの最初の合図は、ごはんです、と呼びにくるお母さんだった。それは時として、緊迫した戦場からの解放を意味し、また、時として早すぎる停戦への軽い不満をひきおこしもした。

ところが、その日にかぎって誰のお母さんも呼びに来なかった。オレンジ色の夕やけは、もう空のごく下の方だけになり、あとは夜のはじまりの、うす紫にそまっていた。

つかれたな。

浩一との接戦に少しうんざりした涼介は、基地をでてのびをした。やせた、背の高い、若い男がそばに立っている。

「もう、子どもは帰りなさい」

ぎょっとして涼介が顔をみると、若い男はにやっと笑った。

「坊や、早く帰ってもらわないと困るんだ」

「なぜ困るんです」

「夜の子どもが遊びに来るからな」

男がそう言ったとき、有刺鉄線のむこうがわから真吾のお母さんが呼んだ。

「真ちゃん、ごはんですよ」

いつまで遊んでるの、というあや子のお母さんの声もして、みんなぞろぞろと基地からでてきた。男は、もういなくなっていた。

その夜、ベッドに入っても、涼介はなかなか眠れなかった。あの男のぶきみな笑いが思い出されてぞっとした。あの男は何者だろう、夜の子どもって何のことだろう、そんなことを考えているうちに、十二時をまわってしまった。たしかめてみなくてはいけない。涼介は胸の中で何度もそうつぶやいた。そしてとうとうベッドからおりると、着がえて、家の人に気づかれないようにこっそりと、玄関から表にでた。

いつもの風景が、夜にはぜんぜんちがって見える。ぬぼっと立った電信柱さえ、夜の威厳をおびておそろしげに見えた。七分も歩けば梅林だった。見なれたはずのその林も、月明か

りの中で妙によそよそしかった。梅の枝が、黒々と光っている。有刺鉄線をくぐり、昼間つくった基地の前に行ってみると、中から人の話し声がきこえた。

「いいか、行動はあくまで敏速にな」

「はい」

「爆弾は十分なだけあるか」

「あります」

涼介はびくっとして、心臓が凍りつく思いだった。かくれたくてもひざに力が入らない。

「こっちに来い」

誰かがうしろから涼介の肩をひっぱった。あの男だ。恐怖が涼介を頭からわしづかみにとらえ、涼介は声もだせなかった。

「じっとして、動くんじゃないぞ」

男は涼介を基地の裏側にひきずりこむと、いっしょになってそこにしゃがんだ。

「やーっ」

とほうもない大声をあげて基地からとびだしたのは、涼介のお父さんだった。梅の実を十個ほど敵地へなげこむと、

「おいっ、弾《たま》だ。弾をくれ」

とどなった。はいっ、と気持ちのいい返事をしたのはお母さんで、エプロンにどっさりの梅の実をのせて基地からでてきた。

「浅井、用意はいいか」

お父さんがそう言うと、真吾のお父さんがおう、と返事をし、昼間、魚屋をやっているときのままのかっこうで基地からあらわれ、真吾も顔まけしそうないきおいでたてつづけに十八個、敵地に梅の実を命中させた。彼もやっぱり、爆破の天才らしかった。

田中のおとうさんはゲリラだった。さとしのお父さんもゲリラだった。そして浩一のお父さんは、お母さんといっしょになって水鉄砲を乱射している。だれもかれも、みんな基地ごっこに夢中になっていた。大人たちがあんまり真剣だったので、なんだかほんとうの戦争みたいに見えた。

「いったい何しに来たんだ」

ひそひそ声で男がきいた。

「たしかめに」

「たしかめに？」

「夜の子どもをたしかめに」

ふふん、と男は鼻先で笑った。月がこうこうとかがやいている。あばれまわっている大人

たちの影を、涼介はぼうぜんと眺《なが》めていた。ぶきみだった。

「もう、いいだろう。帰りなさい」

「でも」

「心配しなくてもいい。朝がくれば夜の子どもはみんな帰るさ」

「……」

「ほら、今だ」

男が涼介の背中をどんっとつき、涼介はそのまま走って有刺鉄線をくぐりぬけた。星空の下を、一度もとまらずに、どんどん走った。どこかで、犬の遠ぼえがきこえた。

朝になると、何もかもいつものままだった。ハムエッグのにおいがして、お父さんはパジャマのまま食卓についていて、お母さんは鼻歌をうたっていた。涼介本人でさえ、あれは夢だったのかもしれない、と思った。

「きのうの夜、何してた？」

涼介は、知らん顔をしてきいてみた。

「何って、寝てたさ」

お父さんがこたえた。

「いびきをごぉごぉかいてね」

お母さんがつけたす。

やっぱりあれは夢だったんだ。夢だったんだ。

涼介は、肩の力が一度にぬけていくのを感じた。

「はい、涼介のハムエッグ」

おさらを手にくるっとふりむいたお母さんのエプロンを見て、涼介は心臓がずきんとした。指先がぞわぞわして、ひざの力がぬける。

「そのエプロン、どうしたの」

「あらいやだ。どうしたのかしら」

お母さんは、泥のついたエプロンをそそくさとはずした。

「梅の実……とったの？」

「梅の実？」

お母さんはきょとんとしている。

「そういえば、梅酒の季節だなぁ」

お父さんがのんきに言う。涼介はドキドキして、ハムエッグものどをとおらなかった。真吾も、浩一も、信じないにきまっている。こんなばかげたこと、誰にも言えやしない。きのうの若い男のにやにや笑いがちらついた。

ランドセルを背負うと、お母さんの顔も見ずに行ってきますとどなり、涼介は表にとびだした。晴れた、きれいな朝だった。

「おはよっ」

無邪気な声をだしてあや子が駆けてきた。

「よぉ」

浩一が、涼介の肩をたたく。梅林は、朝のぴんとした空気の中で、いつもとおなじ顔をしていた。

いいさ。

誰も知らないけれど僕は知っている。今夜もまた夜の子どもたちが来る。あしたも、あさっても、ずっとだ。

ポケットに手をつっこんで、涼介は足早に歩いた。ビックリマンチョコのシールがいつのまにか一枚たりなくなっていたり、ファミコンのシフトがとつぜん変わっていたりしたことの理由が、涼介にはやっとわかったのだった。

いつか、ずっと昔

駐車場は、思ったよりもすいていた。車をおりると、れいこは浩一《こういち》の腕に自分の腕をすべりこませて言った。

「私、夜桜見物なんてはじめてよ」

ゆるい坂道をのぼると、もう桜並木がはじまっている。しっとりとしめった春の夜気に、土のにおいがする。

「この時間なら、もう誰もいないと思ったんだがなぁ」

すっかり酔ってうずくまっている四、五人のサラリーマンを横目で見ながら浩一が言った。時計は、十一時五十分をさしている。

「もうすこし歩けば誰もいなくなるわ」

坂をのぼりつめると、いきなり展望がひらけて、見渡すかぎりの桜がつづいていた。

「まぁ」

れいこは息をのんだ。濃紺の闇《やみ》に、つめたいほど白い花がしんとしずまりかえってさいて

いる。風がふくたびに花びらがこぼれる。

「こわいみたいにきれい」

二人はしばらくそこに立ちつくし、満開の桜に見入っていた。

「この桜がちるころには結婚式ね」

「そうだね」

れいこは浩一の腕にもたれて、うっとりと夜桜をながめた。

一本の木の根のかげから、しゅる、と音がして、細いへびがあらわれた。月の光でぬらぬらと銀色にひかる、美しいへびだった。へびはかまくびをもたげて、黒い目でじっとれいこを見た。銀色のきゃしゃなからだに、緑と黒のしまが入っている。ふしぎな、なつかしい気持ちがして、れいこもへびをじっとみつめた。少しも、こわくなかった。いつか、ずっと昔、自分はへびだったことがある、と思った。そうだ、たしかにへびだった。かわいたようなだいだい色の、小さなへびだった。

目の前の銀色のへびは、れいこがへびだったころに恋人だったへびだった。首の小さな傷も、はっきりとおぼえている。いつだったか、猫《ねこ》とけんかをしてやられた傷だ。思い出したとたんに、れいこはへびにもどっていた。

「あなた」

銀のへびの耳もとでれいこが言った。

「さがしたぞ。もうずいぶんながいこと、俺《おれ》はおまえをさがしまわった」

「ごめんなさい」

れいこは、銀のへびとならんで、しゅるしゅると地面をはう。腹が地面をはう時の感触を、れいこはずっと、忘れていた。

「私、人間になっていましたの」

「うむ。そのようだな」

「ほら、ひどい日でりがつづいたでしょ。それで私、ひからびて死んでしまいましたの。そのあと、人間に生まれかわったんですわ」

「人間になった気持ちは、どうだった」

「……わるくありませんでしたよ。でももう忘れてしまいました。あなたは何をしていらしたの、私がいないあいだ」

「ほうぼうさがしまわった。毎晩、毎晩、おまえの夢をみた」

銀のへびは、ふっと遠くをみるような目をした。

「さぁ、今夜はこの木で眠ろう」

れいこは、銀のへびのうしろから、ごつごつした桜の幹にのぼった。細い枝にからだをか

らませて、ほっとためいきをつく。こうやって眠るのは何年ぶりだろう、とれいこは思った。首をもたげると、遠くの方まで見渡せる。下をみると、白くて、まるく太ったものが一ぴき、木々の間をうろうろと動きまわっていた。うすよごれた背中は、太っているのにどこかさびしそうだった。それは、豚だった。土に鼻づらをおしつけて、ぐぶぐぶと音をたてて嗅《か》ぎまわっている。あの背中、どこかでみたことがある、とれいこは思った。うす桃色の耳も、大きな鼻も、どことなく見おぼえがある。

へびのれいこはするっと木からおりた。豚は、まるい、つぶらな瞳《ひとみ》でれいこをみつめ、かなしそうにまばたきをした。いつか、ずっと昔、自分は豚だったのだ、とれいこは思った。たしかだ、はっきりおぼえている、と思った。目の前の、肉の塊のような雄豚《おすぶた》は、あのころのれいこの恋人だった豚だった。思い出したとたんに、れいこは豚にもどっていた。

「あなた」

巨大なからだを重たげにすりよせながら、れいこは声をかけた。雄豚は、まるい目からぽろぽろと涙をながし、ふがふがと泣いた。

「いったいどこに行ってたんだよぉ」

「ごめんなさい、あなた。もう泣かないで」

雄豚はおんおん泣いている。

「私、養豚場でトラックにはねられたんです。それで、へびに生まれかわったんです」

「へ……へびのくら……しは……どうだったんだ」

「わるくありませんでした。でもね、あなた、そんなことはもう忘れてしまいましたわ」

雄豚はしきりにしゃくりあげながら、にっこりと笑った。

「さぁ、養豚場へ帰ろう」

「養豚場の仲間たちはみんな元気ですか。まだ出荷されていないでしょうね」

「ああ、もちろんだとも」

二ひきは、ならんで歩きはじめた。たるんだ腹が、一足ごとに左右にゆれる。

「いい月夜ですね」

「まったくだ」

れいこは、うっとりとみちたりた気持ちで歩いていた。ひづめで花びらをふむと、しわっとやわらかい。からだの重さがここちよかった。

しばらく行くと、見なれた養豚場だった。庭をつっきって豚舎に入ると、無数の豚がひしめきあって眠っている。ごぉごぉと寝息がきこえる。

「なんてなつかしいんでしょう」

れいこは、よごれたわらの上にどたんと身をよこたえた。仲間のぬくもりがつたわってく

る。

「おやすみなさい、あなた」

「……」

「あなた？」

「……あれは、何だと思う」

豚舎の入口に、うしろから月光をあびて、ちょこんと貝が立っていた。十センチほどの大きさで、殻《から》は茶色く、白いもようが入っている。

「まぁ、うば貝ですわ。水管がすっかりかわいてしまって、きのどくに」

「水管？」

「ええ、小さな管ですわ。貝はここからエサをすいとるんです」

「あそこの、はだ色のべらべらしたものは何だろう」

「足ですわ」

「足!? 貝に足があるのかい」

「あたりまえじゃないですか。足だって、口だって、胃だって、心臓だって、みんなちゃんとあります。ないのは目だけですわ」

「へぇ。おまえ、ずいぶん貝にくわしいなぁ」

「……ほんと。私、ずいぶん貝にくわしいですね」

いつか、ずっと昔、私は貝だったのかもしれない、とれいこは思った。目の前のうば貝の殻のもようも、心なしかなつかしい。たしかに昔、貝だったのだ。

「やっと思い出してくれたね」

茶色いうば貝が言った。うば貝は、れいこがまだ貝だったころ恋人だった貝だった。

「僕はずっとここで待っていたんだよ」

「あなた」

れいこは貝の姿にもどっていた。

「いそぎんちゃくにこしかけて、かわらぬ愛をちかったのに、君はふいにいなくなってしまった」

「あなた、おねがい、きいてください」

「言い訳ならたくさんだよ。僕はずっと待っていたんだ。おかげで貝柱がからからになってしまった」

「ごめんなさい。私、豚になったんです。ほら、急にひき潮になった日をおぼえていらっしゃる？　あの日、私は運悪く人間につかまってしまったんです。浜辺で、たき火であぶられて、殻からだされて食べられてしまったの。あなたにとても、会いたかった。でも豚になっ

てしまったんですもの。しかたなかったの」

「それで、豚の生活はどうだったんだい」

「そりゃあ、わるくもありませんでしたけど、でももう忘れてしまいましたわ」

貝になったれいこは、茶色い貝にかちゃかちゃと殻をぶつけた。

「あまえるのは、海に帰ってからにおし」

「はい、あなた」

二人は、はだ色のべらべらした足で、ゆっくり海へむかった。桜並木のはるか上に、月はこうこうと鎮座《ちんざ》している。

「さめがれいの赤ちゃんは生まれましたか」

「とっくに生まれたよ」

「そう。病気のひめいかはどうしました」

「死んでしまったよ」

「かわいそうに」

ぽつんぽつんと話しながら歩いていくと、潮風が、がさがさに荒れた二人の殻をやさしくふきすぎた。

「ああ、海のにおい」

二人は、ぬれた砂の上をころころところげまわった。ひんやりと、いい気持ちだった。

夜の海はしずかだった。波うちぎわで、こまかいしぶきをからだにあびながら、れいこはじっとしていた。遠くから、かすかなうなり声とともに波がおしよせ、ざわあっとくだけ、泡《あわ》になってとびちる。かぞえきれない白い泡が、ふわふわとおちてくる。ふわふわと、あとから、あとから。

花びらのなかに、浩一が立っていた。

「どうしたの、ぼんやりして」

「……びっくりした」

れいこは浩一の腕にしがみつきながら言った。

「たとえば昔の私がどんなふうだったとしても、浩一さんは私が好き？」

「何だい、それ」

浩一は、きょとんとれいこを見つめた。

「だって俺は、れいこが幼稚園児だったころからしってるんだぜ。おまえは桃組、俺は梅組」

浩一がまじめな顔でそう言った。桜がきりもなくこぼれている。

「そうね。浩一さんが梅組で、私が桃組」

れいこは笑いながらくりかえし、そばの桜をみあげると、
さよなら、
昔の恋人たちに、そっと言った。

スイート・ラバーズ

その夏は、病院通いの夏だった。おじいちゃんが心臓をわるくして、入院したのだ。白い病室の、白いベッドの中のおじいちゃんは、家にいたときよりずっと小さくみえた。

お母さんと私は、こうたいで毎日、病院に行った。衰弱しているから夏はこせないだろう、とお母さんは言ったけれど、おじいちゃんはちっともぼけていなかったし、いつもにこにこと元気そうで、とても死ぬ人にはみえなかった。それに、私は十一月に結婚することがきまっていたので、少くともそれまでは元気でいてほしかった。

とても暑い水曜日のことだった。おじいちゃんは調子がよさそうで、いつもより少しだけ饒舌《じょうぜつ》だった。

「麻子《あさこ》はべっぴんになったなぁ」

「うふふ、そぅお?」

「透《とおる》くんのせいかな」

透くん、というのは私の婚約者の名前である。

「わしといっしょになる前のさよも、そんなふうじゃったよ。ほっぺたなんぞ桃色にそめてな」

おじいちゃんは、おばあちゃんのことをけして、ばあさん、と呼ばない。さよ、と呼ぶ。おばあちゃんは私の生まれる前日に亡《な》くなったので、まだおばあちゃんにはなっていなかった、というのがおじいちゃんの理屈だった。

「年をとるのはわし一人じゃ」

おじいちゃんは時々、そう言ってさみしそうに笑った。

「かき氷が食いたいなぁ」

子供じみた口調で、とうとつにおじいちゃんが言った。

「ああ、かき氷が食いたい。氷いちごがいいなぁ」

きこえよがしに言うおじいちゃんの声に、私は思わず笑ってしまった。そうして近所の喫茶店に無理をいって、氷を二つ、とどけてもらった。

まっかなシロップのかかった氷いちごを、おじいちゃんは夢中ですくい、うれしそうに口に入れた。黙ったまま五さじくらい食べた。私は、目の前の氷に手をつけるのもわすれて、おじいちゃんの食べっぷりにしばらくみとれていた。私の視線に気づいたおじいちゃんが、

「はやく食べんか。とけてしまうぞ」

と言ったので、私はその、無彩色の氷すいをしゃくりと一さじ口に入れた。さぁっと冷気がひろがる。

「氷すいはつまらんのぅ」

おじいちゃんが言った。

「色もなくて、味もそっけない」

でも、そのそっけない氷すいが、私は昔から好きなのだ。さくさくとすくうと、さくさくと透明な冬の兵隊が行進するような、つめたい音がする。

「さよも氷すいが好きじゃった」

おじいちゃんは、赤く染まった舌をのぞかせながら言った。

子供のころから、私はよく、おばあちゃんの生まれかわりだといわれてきた。おばあちゃんが、私の生まれる前日に亡くなったためだけではなく、好みや顔かたちも、私はおばあちゃんに似ているらしいのだ。それに時々、私はふしぎな記憶を感じることがある。ずっと昔の、私がまだ生まれてもいないころのことを、なぜだかおぼえているような気がするのだ。

昔、母の口紅をいたずらしてしかられ、

「ママだって昔、おんなじことをしたじゃない」

と言ったのは、ただの口ごたえではなかった。ほんの一瞬ではあったけれど、こっそり口紅

をいじっている幼い母の姿を、思いだしたのである。

いつだったか、おじいちゃんが、大きな鮎《あゆ》を一日に五十ぴきもつったことがある、と言ったときもそうだった。誰も信じなくて、お父さんなど、

「五十ぴきとはまた大きくでましたね」

と言って笑いとばしてしまったけれど、私はなんだかおぼえているような気がした。鮎は塩焼きがいちばんおいしいけれど、食べきれないのであめだきにして、半月ほどもかかって食べたような、そんな気がした。

「私、おぼえてる」

と言っても、みんなはきょとんとしていたけれど。

それでも、私は自分がおばあちゃんの生まれかわりだなどと、思ったことはない。二十五年間、私は自分で感じて、自分で考えて生きてきたのだし、私が私以外の誰かであることなど、とても想像できない。第一、もし私がおばあちゃんなら、お裁縫やお料理が、もっとうまくてもよさそうなものではないか。それに、いくらおばあちゃんだといっても、みたことのない人の生まれかわりだなどと考えるのは、少し気味がわるい。

そんなことを思いながら、私が氷すいを半分ほど食べるあいだに、おじいちゃんは氷いちごをぜんぶぺろりと食べおわり、すました顔で新聞を読んでいた。

八月の最初の日曜日、透くんもいっしょに病院に行った。おじいちゃんと透くんとは、前に何度か会ったことがあるのだけど、おじいちゃんはまるで初対面みたいに透くんをまじまじと見て、

「ほぉ、これがそうか。ええ男じゃな」

と言った。そのくせ透くんが、

「柴田《しばた》透です」

と言って頭を下げると、

「知っとる、知っとる。そんなことはとーっくに知っとるわ」

おじいちゃんは、ぶぜんとしてそう言った。

そのあと、おじいちゃんと透くんは、テレビの高校野球に子供のように熱中した。病室の窓からは庭が見え、ねまきのまま散歩している患者さんが見えた。大きなけやきが風にゆれていて、私たちはみんなで、テレビをみながら桃を食べた。

夕方、私たちが帰ろうとすると、おじいちゃんはにわかにすねはじめ、足がいたい、腰がいたい、と言いだした。仕方なく私はもう少しのこることにして、透くんを玄関までおくり、エレベーターで病室にもどると、おじいちゃんはもう、けろっとしていた。

「帰ったのか」

「ええ」

私が少しあきれて、

「おじいちゃん、足は？　腰は？」

と、おこった顔をつくって言うと、おじいちゃんはこまったように首をすくめ、うふふ、と笑った。そうして、

「ちっと、嫉妬《しっと》したんじゃ」

などと言うので、今度は私の方がはずかしくなってしまった。

「もう一つ、桃をむいてくれんか」

おじいちゃんが言い、私はすべらかに白い、みずみずしい桃をむいた。窓から、とても気持ちのいい風が入った。

「ほんとに、透くんを愛しとるのか」

おじいちゃんがきいた。

「いやぁね、あたりまえでしょ」

「ほんとにか」

「おじいちゃんっ」

さすがにはずかしくなってさえぎると、おじいちゃんはにっこり笑い、

「ええぞぉ、夫婦は」

と、無邪気なほどあかるく言った。

その時に二人で食べた桃が、おじいちゃんの食べた最後の、ちゃんとした食べ物だった。あくる日から容態が悪化して、点滴と流動食でしか、栄養をとれなくなってしまったのだ。おじいちゃんはベッドの中で、日に日に小さく、弱々しくなり、それでも私が行くといつもにっこり笑った。

九月になると、おじいちゃんは少し快方にむかったように見えた。その日も、蚊のなくような小さな声で、しかしはっきりと、

「ああ、いちじくが食いたいなぁ」

と言った。

「うれた、やわらかいいちじくが食いたい」

食い道楽のおじいちゃんがあのあじけない流動食だけで生きていることがふしぎだった私は、おじいちゃんがひさしぶりに見せた食欲がうれしくて、すぐにくだもの屋に買いに行った。

病院のそばのくだもの屋というのは心得たもので、

「お見舞いですか。暑いのに、たいへんですね」

などとお愛想を言い、

「いちじくはいいですよ。栄養価が高いから元気がつきます」

とつけくわえた。でもいちじくで元気をつけるひまもなく、私がもどるとおじいちゃんは亡くなっていた。ほんとうに、あっけない死に方だった。

私はいわゆるおじいちゃん子ではなかったけれど、おじいちゃんの死を目のあたりにして、ぼうぜんとしてしまった。ショックだった。病院の公衆電話で家に電話をし、透くんの会社にも電話をし、それから病室にもどって、おじいちゃんの死に顔をみた。からっぽの顔だった。私はそのままぼーっとしていた。涙はでなかった。

「さよ。さよ」

私のうしろで声がして、おどろいてふりむくと、おじいちゃんが立っていた。

「さよ、もうでておいで」

私は息がとまりそうに緊張した。病室じゅうに、うす紫の花がさきこぼれている。

「はやくでておいで、そのまま透くんと結婚するつもりか」

おじいちゃんは、私が今まで見たこともないほどやさしい目をしていた。

「ほほほ。いやですよ。あなたのそばにいたくて、いたくて、ここにいたんじゃないですか」

私はぎょっとした。私がしゃべったのだ。でも私じゃない。私の口からでた、私の声だったけど、でも、私じゃない。

「わかっとるよ。だからこの二十数年、わしは浮気ひとつできなんだ」

「ほほほ。浮気のひとつくらい、大目にみてさしあげましたのに」

私は、私の意志とは関係なくいすから立ちあがり、おじいちゃんのそばにいった。意識は目覚めているのに、ちっとも思いどおりに動けない。

おじいちゃんは私の腕をとり、病室をでようとして思いだしたようにふりかえった。私もつられてふりかえると、たった今私が立ち上がったいすに、もう一人、私がちゃんとこしかけていた。おじいちゃんももう一人いて、ちゃんとベッドに横たわっている。うす紫の花は、なんだか妖艶《ようえん》にさきほこっていた。

「ええぞぉ、夫婦は」

すわっている方の私にむかっておじいちゃんが言い、その横で私もにっこりとうなずき、私たちは腕をくんだまま、ドアをあけて病室をでた。ドアが閉まった瞬間、私は病室の中の、いすにすわった方の、私になっていた。うす紫の花が、さらさらと散った。

お母さんが来て、お父さんも来て、ほかにも親戚《しんせき》が何人か来た。夕方になると、透くんも来てくれた。私は透くんの顔をみたとたんにあんしんして、涙がはたはたおちた。透くんは、

そっと背中に腕をまわしてくれた。でも、あの時私は、おじいちゃんが亡くなって泣いていたのではなく、透くんに会えてうれしくて泣いていたのだということを、透くんは夢にも知らずにいたと思う。

十一月になったら、私たちは結婚する。

温かなお皿

朱塗りの三段重

僕の口から言うのも憚《はばか》られるのだけれど、僕の妻はいい妻である。かわいいしやさしいし、今どき珍しく古風なところもあって、僕はそこがとても気に入っている。最近の例でいえば、妻（菜美子《なみこ》という）は僕たちが一緒にすごす初めての正月のために、お節《せち》料理を全《すべ》て手作りするという偉業を計画中なのだ。彼女はここ何日も、実家に帰っては豆の煮方だの薩摩芋《さつまいも》のつぶし方だのを練習してきた。お陰で僕が毎晩、仕事のあとで妻を実家に迎えに行くはめになったとしても、そんなことは取るに足りない。にっこり微笑《ほほえ》んだ菜美子に、「お節は勿論《もちろん》正《しょう》ちゃんのために作るんだけど、遊びにみえる正ちゃんの御両親をびっくりさせたい下心もあるの、ほんと言うとね」などと言われれば、それはまさに亭主冥利《みょうり》というものではないか。

僕たちが結婚を決めた時、僕の両親はかなり反対をした。彼女が一人娘だとか、子供のように華奢《きゃしゃ》な骨盤をしているとか、反対の理由はばかばかしいものだったが、結婚式から七ヵ月、菜美子の良妻ぶりをたっぷり見せつけるためにも、この正月は是非とも両親を招く必要があった。

今こうして彼らを迎えに車を走らせている僕の横で、菜美子はすうすう寝息をたてている。暮れの街は慌《あわ》ただしく、高速道路は渋滞《じゅうたい》していて、僕は菜美子の眠りを妨げないように、できるだけ丁寧にブレーキを使った。菜美子の膝《ひざ》にはローズィーが太った体でどっぷりと丸くなっており、時々顔をあげては、まだ着かないのかとでも言いたげに僕を見る。ローズィーはブルドッグの老犬で、菜美子の言葉を借りれば、菜美子と一緒にお嫁にきた。僕が人並みの動物愛護精神を持ち合わせていないと思われては心外だが、僕の妻の唯一《ゆいいつ》の欠点はこのローズィーなのだ。ローズィーに対する過度の愛情、過度の保護癖《へき》。どこに行くにもおいていかないとか、その結果旅行に行かれないとか、ローズィーの食費、医療費、及びトリミング費用に毎月三万円もかかるとか、クッションやスリッパが涎《よだれ》でべたべたになっても、決してローズィーを叱《しか》ってはいけない（何しろ彼女は人間でいえば齢《よわい》百歳なのだから）、とかには目をつぶる。しかし、である。犬と共にする食事にだけは閉口してしまう。想像してほしいのだが、子供用の脚の長い椅子《いす》に、涎掛けをしたブルドッグ（頭に赤いりぼんをつけている）がすわっているのだ。うさこちゃんの柄《がら》のカフェオレボウルからぴしゃぴしゃとミルクを飲み、すりつぶしたりんごだの、ぷんぷん匂《にお》うドッグフードだのを食べている犬を目の前にして、複雑な気持ちにならない人間がいるだろうか。それがいくら愛する妻の、愛する腹心の犬だとしても——。

「まぁだ?」

シートに頭をつけたまま、眠た気な瞳《ひとみ》で菜美子が僕を見た。ちょっと掠《かす》れたような声が色っぽくて、それだけで僕は相好《そうごう》が崩れ、ローズィーに関する不満はたちまちどこかへ消えてしまう。

「もう着くよ」

左斜め前に、赤煉瓦《あかれんが》の東京駅が見えている。

新幹線は時間通りについた。見慣れた背広に共布の帽子を被《かぶ》り、革のショルダーバッグをさげた痩《や》せ型の父と、トランジスタグラマーを強調するような、身体《からだ》にぴったりした白いスーツを着た母は、混雑の中でもすぐにわかった。長旅のせいか父の笑顔は少し弱々しかったが、とりあえず二人とも元気そうだ(母など、五分前に化粧を直したばかりという顔だ)。

「いらっしゃい」

僕は言い、手土産の名産菓子が入っているのであろう紙袋を奪うように持った。

「おひさしぶりです」

ぺこりと頭を下げた菜美子の胸にはしっかりとローズィーが抱かれ、母は目をまるくしている。

再会というのは照れくさくて嫌《いや》だが、不思議と気分が高揚するものだ。夕暮れのホームに

立って西日をいっぱいにうけながら、僕たちはみんな、その奇妙な興奮の中にいた。

新年は、いつもあっさりとやってくる。目覚まし時計に脅《おびや》かされずに眠りを貪《むさぼ》っていると、まず菜美子が来てそれをさえぎった。

「正ちゃん。ねぇ、正ちゃん」

耳もとがくすぐったい。

「大変なの。柚子《ゆず》を買い忘れたの」

「いいよ、そんなの」

僕は言ったが菜美子はきかない。

「だめよ。私、御近所でわけてもらってくるから、お義母様《かあ》たちには内緒よ」

んー。僕はいい加減に返事をして布団《ふとん》をひっぱりあげた。

次に現れたのは母だった。

「正太、正太ってば」

ささやくだけじゃなく、肩まで揺さぶる。

「お節のお重なんだけどね、東京ではみんなああなのかもしれないけど、あんまり凝りすぎてどうもね、お母さんたちはもっと田舎風のが食べたいのよ。ほら、食べ物はやっぱり馴《な》

れたものじゃないとね」

朝っぱらからいざこざはたくさんだ。僕は返事をしなかった。

「のぞくつもりじゃなかったのよ。でもテーブルにお重がのっていて、菜美子さんいないみたいだったし」

僕がなおも黙っていると、母はため息をつき、それから仕方なさそうに立ちあがった。

「母さん」

布団を被ったまま母を呼びとめて、僕は断固とした口調で言った。

「文句言わずにちゃんと食べてよ」

食卓が整ったのは十時すぎだった。父と母が並んで座り、その向い側に僕と菜美子、ローズィーは新品の涎掛けをして、僕たちの間に座っていた。お雑煮《ぞうに》はいい匂《にお》いをたて、ちゃんと柚子もうかんでいたが、父と母は気の毒なくらい緊張している。

「お重にプリンというのは奇抜ね。とても美味《おい》しそう。アイデアだわね」

母が悲愴《ひそう》な努力をして言い、一瞬まがあって、菜美子が大真面目《おおまじめ》に訂正した。

「お義母様、それはローズィーのお節です」

朱塗りの三段重は上二段が人間用、下一段が犬用で、そこには何種類ものドッグフードとバナナ、ささ身の酒蒸《さかむ》しとプリンが詰められていた。

「新年おめでとうございます」

啞然《あぜん》とする一同を意にも介さず、菜美子はにこやかに言った。

ラプンツェルたち

窓から見下ろすと通りに人影はなく、すっかり日の暮れた空を背景に、冬木立がシルエットになっていた。裕幸《ひろゆき》はいつもこの道から来る。両手をポケットにつっこんで、少し前屈《かが》みになって——。そして昔々の映画みたいに、窓に小石を投げるのだ。

女子学生ばかりを対象にしたこのマンション(その名も「ウイメンズハイツ」)は規則の厳しさが売り物で、訪問者は受付で質問攻めにあった挙句、面会申し込み書に住所、氏名、居住者との間柄まで記入させられる。窓に石をぶつける方がずっと簡単だ、と裕幸が考えるのも当然だった。

今朝、私たちは喧嘩《けんか》をした。よくある小さな諍《いさか》いだったが、それは私を一日中憂鬱《ゆううつ》にした。裕幸がはやくふらっと現れて、窓の下で笑ってくれるといい。裕幸の笑顔は百もの言葉になり、たちまち私を安心させる。

窓の外には寒々しい枯木が続き、街灯がぼんやりと白い光を放っている。

インターフォンが鳴り、ドアをあけると秋美と幸子、それから双葉が立っていた。みんな同じマンションの住人だ。

「何だ、律子も御在宅?」

すいすいあがりこんでオーバーをぬぐ。御在宅の場合、私たちはたいてい一緒にごはんを食べる。

「私は一食抜くから御心配なくね」

愛用のソニア・リキエルのポーチから、爪《つめ》の手入れ道具一式と携帯電話をとり出しながら秋美が言う。この子はいつも電話を持ち歩いているのだ。

「スパゲティ茹《ゆ》でるけど便乗する人は?」

私が訊《き》くと、幸子が目で合図した。大鍋《おおなべ》にたっぷりのお湯をわかす。

「久志《ひさし》と別れちゃった」

持参のハンバーガーに早々とかじりつきながら、双葉が言った。

「でもいい。あんな奴《やつ》もう未練ない」

そして発泡《はっぽう》スチロールのカップに入ったスープを一口啜《すす》り、黒胡椒《くろこしょう》ある、と訊く。私は胡椒をテーブルに置いた。

「よく一年も続いたと思うわ、あなたたち」

幸子があっさりと言い、私は事態の深刻度を見極めるべく双葉の顔を凝視した。

「あ。律子、シンニード・オコナーなんか持ってるんだ」

ステレオのそばで秋美が言い、次の瞬間にはかなりのヴォリウムで、フィール・ソー・ディファレントが流れだす。

「ほんとにおわったの」

私は双葉の向い側に腰かけて詰問《きつもん》し、双葉は、そうよ、と言って微笑《ほほえ》んだ。私をふるたあね。

「この写真集いいね」

煙草《たばこ》を吸いながら幸子が言い、私はいつもながらマイペースの友人たちに呆《あき》れつつ、スパゲティをひろげてお鍋にいれながら、

「それなら事はシンプルよ」

と双葉に向って言った。

「覆水《ふくすい》盆に返らず。過去は野となれ山となれ」

双葉はひどくまじめにうなずいた。

「たいした男じゃなかったわよ」

床にぺたんと座って爪を磨《みが》き始めた秋美が言い、たいした男じゃなくない男なんている？

と幸子がまぜ返す。

「誠実そうではあったわね」

私が言うと秋美は鼻に皺《しわ》をよせ、頭悪そうだったわ、と言う。

「歯並びも悪かったわ」

双葉が冷静に言った。

「じゃ、今夜はお祝いだね」

私は三人に缶《かん》ビールを放《ほう》り、スパゲティソースの缶詰めをあけた。缶詰めは、バジルとあさりのボンゴレソース、というのだった。

「パーティならケーキが要《い》るわ」

一心に爪を磨きながら秋美が言う。

「誰か買ってきたら」

「ダイエット中でしょ」

秋美は平然と、一回休み、などと言う。

「じゃあ自分で行きなさい」

ミルクパンの中でソースが煮立ち、ガーリックが匂《にお》う。

「だって私は電話待ってるんだもの」

「この写真集くれたら私が行ってきてあげる」

幸子が言った。どういう提案なのだ、それは。

「お願いがあるんだけど」

双葉が上目使いに私を見て言う。

「二つ目のハンバーガーあげるから、スパゲティ味見させて」


ブラックの濃い目と砂糖及びミルク入りのもの、ミルクだけいれたのと、たっぷりのアメリカン。食後のコーヒーをいれると、私たちはそれぞれTVの前に陣どった。冬の夜はビデオに限る（さすがに内容には気を使い、恋愛ものは避けてスプラッタホラー系にする）。観《み》始《はじ》めてすぐ秋美の電話が鳴り、秋美はすかさずビデオの一時停止ボタンをおして、嬉《うれ》しそうに電話にとびついた。

「三十分はかかるな」

幸子は言い、秋美のはしゃいだ声（え？　スキー？　行く行く。どこ？　蔵《ざ》王《おう》？）をBGMに、私たちは黙々とコーヒーを飲んだ。

窓がかたんといったのはその時だった。

裕幸だ。

四人で窓に駆けよると、ばたばたとすごい音がした。窓をあけ、ぎゅうぎゅうとおしあって顔をだす。つめたい夜風。空にはぽっかり満月がうかび、窓の下には裕幸がいた。なつかしい笑顔、街灯がつくる影法師。

「あがってくる?」

私は訊《き》いた。勿論《もちろん》、窓によじのぼってという意味だ。裕幸は首をふる。

「ちょっと顔が見たかっただけだから」

「ひゃーっ、言ったーっ」

たちまち三人の歓声があがる。

「裕幸さあん」

受話器を持ったまま手をふる秋美に、裕幸は笑顔を返し、それが私への笑顔と微妙に違うことを発見して、私は思わずうふふと思う。そして、私たちは四人同時に叫んだ。

「ね、ケーキ買ってきてー」

私たちって、囚《とら》われの塔のお姫様みたい。秋美が小さい声でそう言った。

にぎやかに、「ウイメンズハイツ」の夜はふけていく。

子供たちの晩餐《ばんさん》

私たちは玄関で、もうどうしようもなくどきどきしていた。とうとうこの日がきたのだ。何日も前からこっそり楽しみにしていた日、お小遣《こづかい》をだしあって、四人で準備しておいた計画の実行日。

「きちんと戸閉まりして、早く寝るのよ」

ママが言い、私はたちまち心細くなったけれど、理穂《りほ》お姉ちゃんは長女らしいおちつきをもってうなずいた。賢《かしこ》そうな広い額《ひたい》、余裕のある口元。私も九歳になれば、あんな風に大人っぽく振る舞えるだろうか。

「宿題もちゃんとやるのよ」

ママの言葉に、豊《ゆたか》お兄ちゃんは愛想よくこたえる。

「うん。わかってるよ」

理穂お姉ちゃんが顔をしかめたのと、ママがこう言ったのと、ほとんど同時だった。

「あら、ずいぶん素直なのね」

いつものお兄ちゃんならまず舌打ちし、唇《くちびる》をとがらせて不満気に、わかってるよと言うのが関の山だ。これじゃ、胸にイチモツありますって告白してるみたいじゃないの、ってお姉ちゃんが目で諭《さと》す。豊お兄ちゃんは慌《あわ》てて横を向き、不貞腐《ふてくさ》れた態度を取り繕《つくろ》った。八歳にもなって、お兄ちゃんは本当に演技力がない。

「いい子にしてるんだぞ」

パパは言い、大きな手で久お兄ちゃんの頭をぽんとたたいてから、私を抱きあげた。細い指で横から私のほっぺたをつつき、最後にママが言う。

「詩穂《しほ》ちゃんを泣かせちゃだめよ」

ママの指はつめたくて、香水の匂《にお》い。エヘヘ。いつだって私は特別扱いだ。まだたったの四歳だし、何といっても末っ子なのだ。たとえ久お兄ちゃんの方がずっと泣き虫だとしても。

「いってらっしゃい」

私たちは言い、パパとママを見送った。

台所に駆けこむと、冷蔵庫の中にサラダとレモンジュース、テーブルの上にパンとりんごと、電子レンジであたためればいいだけのチキンソテー（お皿の下にそれぞれの名前を書いた紙があり、お肉の大きさやつけあわせの量が加減されている）がおいてある。ママのお料理はいつも完璧《かんぺき》。だから私たちは虫歯ひとつないし、ママは十年間同じ体重（四十七・五キ

ロ）を維持している。勿論《もちろん》、パパは成人病に罹《かか》らない。

「行動開始は六時だな」

りんごを齧《かじ》りながら豊お兄ちゃんが言った。

「間食！」

久お兄ちゃんが咎《とが》め（うちでは、三歳までしか間食が認められていない）、しかしそれは非難というより羨望《せんぼう》の声だった。

「今日はいいことにしましょう」

暮れていく空を見ながら、横顔でお姉ちゃんが許可をした。

「間食なんてとるにたらないことだわ」

六時になると、もうすっかり暗くなっていた。藍色《あいいろ》の空に、白い月が低くひっかかっている。

「いくぞ」

豊お兄ちゃんが言い、私たちはぞろぞろと庭にでた。庭の左端、椿《つばき》の木の手前に、シャベルで深く穴を掘る。土は黒々としめりけをおび、掘りおこされたミミズをいじっていた久お兄ちゃんは、爪《つめ》の間がどろどろに汚れた。闇《やみ》が濡《ぬ》れているみたいに青いので、電信柱の街灯

に照らされて、みんなの顔が白くうかびあがっている。

「いいみたい」

お姉ちゃんが言ったとき、穴はバケツくらい深くなっていた。

私たちは台所に駆け戻り、それからまた庭に戻って、ぱっくりと口をあけた土のバケツに、一人一人パンを投げ捨てた。鮮やかな緑色の冷えたサラダを捨て、チキンソテーを捨て、つけあわせのにんじんとほうれん草も捨てた。その上からレモンジュースをどぼどぼ撒《ま》くと、バケツはお腹《なか》一杯の、幸福な胃袋みたいに見えた。

「からだにいいものばかりだから大丈夫よ」

私が言い、そうそう、と久お兄ちゃんも言う。

「これで成人病にならずにすむよ」

月はだいぶ高い位置にのぼり、私たちは穴にどさどさと土をかけ、幸福なバケツを埋めてた。

「よし。食事にしよう」

豊お兄ちゃんを先頭に、私たちはまず手を洗い、うがいをした。それからパーティーみたいにして、ベッドの下に隠しておいた憧《あこが》れの食べ物——カップラーメン、派手なオレンジ色のソーセージ、ふわふわのミルクせんべいと梅ジャム、コンビニエンスストアの、正三角形

の大きなおむすび、生クリームがいっぱいの、百円で売っているジャンボシュークリーム——を思いきり食べた。好きな場所で、好きなだけ。理穂お姉ちゃんはおむすびを庭で食べたし、私はベッドの中で梅ジャムを舐《な》めた。お兄ちゃんたちは二人で、げらげら笑いながらお風呂場《ふろば》に隠れてラーメンを啜《すす》った。歩きながら食べたり、歌いながら食べたりもした。禁止事項は全部やってみることにしていたのだ。大騒ぎの夜ごはん。時々お姉ちゃんがうっとりと、

「ああ、身体《からだ》に悪そう」

とつぶやいて、それをきくと私はぞくぞくした。スリルと罪悪感。胸の中で、梅ジャムとシュークリームがまざりあう。

片づけがすんだのは九時頃《ごろ》だった。歯を磨《みが》いてベッドに入ったとき、私は少し気持ちが悪くなっていたのだけれど、頭の中は奇妙な興奮で満ち足りていた。楽しくて、乱暴で、賑《にぎ》やかな夜だった。水に溶かす粉末ジュースを飲んで、口のまわりがまあるくオレンジ色になったときなど、みんな気が狂ったみたいに笑った。すごくすごく可笑《おか》しかったのだ。思いだして笑っていたら、隣のベッドでお姉ちゃんがこわい顔をした。

「早く寝なさい」

もうすぐパパとママが帰ってくる。私たちの髪をなでながら、ママはきっと訊《き》くだろう。ごはんはちゃんと食べたの、って。私たちはにっこり笑う。うん、食べたわ。とってもおいしかった。

窓の外には大きなお月様。床一面、月あかりに濡れている。

晴れた空の下で

わしらは最近、ごはんを食べるのに二時間もかかりよる。いれ歯のせいではない。食べることと生きることとの、区別がようつかんようになったのだ。

たとえばこうして婆《ばあ》さんが玉子焼きを作る。わしはそれを食べて、昔よく花見に行ったことを思いだす。そういえば今年はうちの桜がまだ咲いとらんな、と思いながら庭を見ると、婆さんはかすかに微笑《ほほえ》んで、あの木はとっくに切ったじゃないですか、と言う。二十年も前に、毛虫がついて難儀して、お爺《じい》さん御自分でお切りになったじゃないですか。

「そうだったかな」

わしはぽっくりと黄色い玉子焼きをもう一つ口に入れ、そうだったかもしらん、と思う。そして、ふと箸《はし》を置いた瞬間に、その二十年間をもう一度生きてしまったりする。

婆さんは婆さんで、たとえば今も鯵《あじ》をつつきながら、辰夫《たつお》は来年こそ無事大学に入れるといいですね、などと言う。

「ちがうよ。そりゃ辰夫じゃない」

鯵が好物の辰夫はわしらの息子で、この春試験に失敗したのはわしらの孫、辰夫の息子なのだった。説明すると、婆さんは少しも驚いた顔をせず、そうそう、そうでしたね、と言って微笑する。まるで、そんなのどちらでも同じことだというように。すると、白い御飯をゆっくりゆっくり嚙《か》んでいる婆さんの、伏せたまつ毛を三十年も四十年もの時間が滑《すべ》っていくのが見えるのだ。

「どうしたんです、ぼんやりして」

御飯から顔をあげて婆さんが言う。

「おつゆがさめますよ」

わしはうなずいてお椀《わん》を啜《すす》った。小さな手鞠麩《てまりぶ》が、唇《くちびる》にやわらかい。

昔、婆さんも手鞠麩のようにやわらかい娘だった。手鞠麩のようにやわらかくて、玉子焼きのようにやさしい味がした。

うふふ、と恥ずかしそうに婆さんが笑うので、わしは心の中を見透かされたようできまりが悪くなる。

「なぜ笑う」

ぶっきらぼうに訊《き》くと、婆さんは首を少し傾けて、お爺さんだって昔こんな風でしたよ、と言いながら、箸で浅漬《あさづ》けのきゅうりをつまむ。婆さんはこの頃《ごろ》、わしが口にださんことま

でみんな見抜きよる。

ふいに、わしは妙なことに気がついた。婆さんが浴衣《ゆかた》を着ているのだ。白地に桔梗《ききょう》を染めぬいた、いかにも涼し気なやつだ。

「お前、いくら何でも浴衣は早くないか」

わしが言うと婆さんは穏やかに首をふり、目を細めて濡《ぬ》れ縁《えん》づたいに庭を見た。

「こんなにいいお天気ですから大丈夫ですよ」

たしかに、庭はうらうらとあたたかそうだった。

「飯がすんだら散歩にでもいくか。土手の桜がちょうど見頃じゃろう」

婆さんは、ころころと嬉《うれ》しそうに声をたてて笑う。

「きのうもおとついもそう仰有《おっしゃ》って、きのうもおとついもでかけましたよ」

ふむ。そう言われればそんな気もして、わしは黙った。そうか、きのうもおとといも散歩をしたか。婆さんは、まだくつくつ笑っている。

「いいじゃないか」

少し乱暴にわしは言った。

「きのうもおとといも散歩をして、きょうもまた散歩をしてどこが悪い」

はいはい、と言いながら、婆さんは笑顔のままでお茶をいれる。ほとほとと、快い音をた

てて熱い緑茶が湯呑《ゆの》みにおちる。

「そんなに笑うと皺《しわ》がふえるぞ」

わしは言い、浅漬けのきゅうりをぱりぱりと食った。

土手は桜が満開で、散歩の人出も多く、ベンチはどれもふさがっていた。子供やら犬やらでにぎやかな道を、わしらはならんでゆっくり歩く。風がふくと、花びらがたくさんこぼれおち、風景がこまかく白い模様になった。

「空気がいい匂《にお》いですねえ」

婆さんはうっとりと言う。

「いいですねえ、春は」

わしは無言で歩き続けた。昔から、感嘆の言葉は婆さんの方が得手なのだ。婆さんにまかせておけば、わしの気持ちまでちゃんと代弁してくれる。

足音がやんだので横を見ると、婆さんはしゃがみこんでぺんぺん草をつんでいた。

「行くぞ」

桜がこんなに咲いているのだから、雑草など放っておけばいいものを、と思ったが、ぺんぺん草の葉をむいて、嬉しそうに揺らしながら歩いている婆さんを見たら、どうもそうは言えんかった。背中に、日ざしがあたたかい。

散歩から戻ると、妙子《たえこ》さんが卓袱台《ちゃぶだい》を拭《ふ》いていた。

「お帰りなさい。いかがでした、お散歩は」

妙子さんは次男の嫁で、電車で二駅のところに住んでいる。

「いや、すまないね、すっかりかたづけさしちゃって。いいんだよ、今これがやるから」

ひょいと顎《あご》で婆さんを促《うなが》そうとすると、そこには誰もいなかった。妙子さんはほんの束《つか》の間同情的な顔になり、それからことさらにあかるい声で、

「それよりお味、薄すぎませんでした」

と訊く。

「ああ、あれは妙子さんが作ってくれたのか。わしはまたてっきり婆さんが作ったのかと思ったよ」

頭が少しぼんやりし、急に疲労を感じて濡れ縁に腰をおろした。

「婆さんはどこかな」

声にだして言いながら、わしはふいにくっきり思いだす。あれはもう死んだのだ。去年の夏、カゼをこじらせて死んだのだ。

「妙子さん」

わしは呼びかけ、その声の弱々しさに自分で驚いた。なんですか、と次男の嫁はやさしくこたえる。

「夕飯にも、玉子焼きと手鞠麩のおつゆをつくってくれんかな」

いいですよ、と言って、次男の嫁はあかるく笑った。

わしは最近、ごはんを食べるのに二時間もかかりよる。いれ歯のせいではない。食べることと生きることとの、区別がようつかんようになったのだ。

さくらんぼパイ

はやく来て。すっかり動揺しているらしい娘が電話口で言った。お願いだからはやく来て。土曜日の午後八時、僕はとりあえず車に乗った。環七をとばしながら、二、三日前の静枝の電話を思いだす。

それで、きのうは枝理子《えりこ》に何を食べさせたの。静枝は電話口でとがった声をだした。攻撃的というよりは、過剰に自己防衛した声だ。油断するまい、相手に隙《すき》を与えまい、と神経を立てている。鮨《すし》だよ。こたえながら、僕はそばのメモに落書きをする。まっすぐな線や曲がった線、へのへのもへじゃ無意味な抽象模様なんかを。そうでもしていないと、悲しみで気を失いそうだったのだ。

だってそうじゃないか。僕たちはついこのあいだまで夫婦だったのだ。静枝の声はかつてお菓子のように甘かったし、僕の声だって、少くともこんなに乾《かわ》いてはいなかった。それが今じゃお互いに疑心暗鬼《ぎしんあんき》になって、娘と食事をするたびに内容の検閲《けんえつ》だ。

静枝はため息をついた。あんまり贅沢《ぜいたく》をさせないで。冗談だろ、と僕は心の中で思う。僕

が枝理子と食事をするのなんて月に一度か二度じゃないか。それがたまたまもりそばやピザじゃなかったからって、一体何だっていうんだ。微妙な問題なのよ、と静枝は言った。子供のイメージの中で、ただでさえ母親は父親よりも安定感に欠ける存在なんだから——。どうせまた下らない本を読んだのだ。離婚家庭における子供の心理とか何とか。わかったよ、と僕は言った。わかったよ、これから気をつける。

半年前に、僕と静枝は離婚した。離婚話はもつれるだけもつれて泥仕合《どろじあい》になり、さんざん憎んだり呪《のろ》ったりした挙句、最後に残ったのは深い疲労と敗北感だけだった。

九歳になる娘の枝理子とはたまに会う。枝理子は母親に似て美人だ。学校では図書委員をやっているらしい。離婚について、パパたちが決めたのならそれで別にかまわない、と殊勝《しゅしょう》なことを言ってくれた。静枝には、二度とこの家の敷居はまたがないでと言われていたが、枝理子のSOSでは駆けつけないわけにいかない。

駐車場に車をとめ、見馴《みな》れたエレベーターで三階に上がる。玄関までの歩数は体が記憶していた。目をつぶっていても着く。もとの我家の前に立ち、僕は少し緊張しながらチャイムを鳴らす。ドアの向うには僕の娘と、僕の元妻だった女がいるのだ。

ぱたぱたと駆けてくる音がして、のぞき穴からのぞく気配のあとでロックがあく。ドアロックとチェーンと両方だ。静枝はおっとりしたたちで、前には鍵《かぎ》をかけずに寝ていることさ

えあって、不用心だと叱《しか》ったものだった。

「パパ？」

枝理子のかぼそい声と同時にドアがあき、娘は僕の腕にとびこんできた。

「ママが部屋からでてこないの」

ほとんど涙声だ。

「あたしが夜ごはんのデザートを残したから」

ばかげている。怒りがこみあげて、たちまち血が逆流する。そんなことのために僕の娘を悲しませ、こんなに不安がらせるなんて。

いくらドアをたたいても、静枝はあけようとしなかった。放《ほ》っといてよ、と叫んでごうごう泣いている。まるで子供だ。僕はどなったりなだめたりして何とかドアをあけさせようとしたが、無駄骨《むだぼね》だった。

枝理子は台所でポテトチップスを食べていた。

「パパの顔見たらお腹《なか》すいちゃった」

テーブルの上には食べおわった食器と、手つかずのパイがおいてある。さくらんぼがぎっしりのった、美味《うま》そうなパイだ。

「じゃあパイを食べたらどうだい」

僕が提案すると、枝理子は慌《あわ》てて首をふる。

「お菓子は食べたくないの」

「どうして、甘いもの大好きだっただろう」

娘の顔をのぞきこんで訊《き》きながら、僕は何ヵ月か前、離婚して、はじめて枝理子と食事をしたときのことを思いだした。

ママは毎日お菓子をつくるのよ、とうれしそうに枝理子は言った。

「毎日?」

僕たちは鰻屋《うなぎや》にいて、肝《きも》すいを啜《すす》っていた。

「うん。プリンとか、クッキーとかケーキとか」

静枝は料理が嫌《きら》いだったので、僕はちょっと驚いた。そして娘の次の言葉をきいて、思わず苦笑したのだった。

「うん。お仕事があるからごはんはね、店屋物とかレトルト食品なんだけど」

雑然とした台所をゆっくり見まわす。汚れた食器、壁のカレンダー、立ったままポテトチップスを食べている娘、そして、どっしりと立派な、つやつや光ったチェリーパイ。

家事は何一つ満足にできないくせに、毎日お菓子をつくるだなんて、そんな風にむきになるなんて、まったくあいつらしい。本でも読んだのかもしれない。ハンドメイドのお菓子が

子供におよぼす好影響について。

僕は静枝が台所に立って悪戦苦闘している姿を想像した。痛々しくて滑稽《こっけい》で哀《かな》しくて、僕は百年ぶりくらいに、静枝をいとおしいと思った。許そうと思った。

パイを切り、端を一かけら口にいれる。さくりと音がして、バターとカスタードがひろがった。さくらんぼの煮方が少したりないけれど、それはものすごく新鮮なパイだった。

紅茶をいれ、レモンを添え、パイと一緒にお盆にのせて寝室へ運ぶ。ノックをしたが、静枝は返事をしなかった。おし殺した嗚咽《おえつ》がきこえる。僕はドアごしによびかけた。

「もう帰るよ。枝理子は今夜だけつれていく。あしたの朝にはまたつれてくるから心配ないよ。お茶、ここにおくから」

泣き声は止んだが、依然として返事はない。

「大丈夫。そのうちみんなうまくいくよ。これは元の亭主として言ってるんじゃない。友達として言ってるんだよ。君は独身だが、まったくの一人ぼっちっていうわけでもない」

耳をすましたが、やっぱり返事はない。

僕は足元にお盆をおいた。

「それからパイ、おいしかったよ」

助手席に枝理子を乗せてエンジンをかける。シートベルトをしめてラジオをつけ、駐車場

をでてふと見ると、ベランダに静枝の顔があった。夜の中に、ぼんやりと白い。遠目にもそれとわかる程泣きはらしていたが、それでも静枝は手をふっていた。きまりの悪そうな、困った子供のような、照れくさそうな顔で。

藤島《ふじしま》さんの来る日

きょうは藤島さんが来ている。それは朝からわかっていた。藤島さんが来る日は、千春《ちはる》ちゃんがそわそわしてるから。

藤島さんは台所にいる。お鍋《なべ》にお湯をわかして、じゃがいもを茹《ゆ》でている。千春ちゃんはリビングでシュワルツェネガーのビデオを観《み》ている。ピーナツを食べながら。個人的に言って(個猫的《こびょうてき》にっていうのかしら)、私は藤島さんに台所は似合わないと思う。でも、いかにも会社の重役さんってタイプの人が台所に立つ姿は、オカシミがあってそれなりにいい。

千春ちゃんはお風呂《ふろ》上がり。あんず色のスリップに、白いヨットパーカーを羽織《はお》っている。このスリップは藤島さんからの贈り物で、千春ちゃんのお気に入りなのだ。

「私って何てスリップが似合うんだろう」

あの時千春ちゃんは包みをあけ、さっそく着てみてそう言った。

「ほら、豊満だったりガリガリだったりすると、スリップ姿って何かいやらしいでしょ」

たしかにそのスリップは、千春ちゃんのすんなりと白い手足に似合っていた。

藤島さんの来る日、千春ちゃんは細心の注意を払って、部屋の中を少し乱雑にしておく。マガジンラックの雑誌をわざわざそのへんにだしておいたり、ベッドもぴしっと整えないで、カバーを被《かぶ》せておくだけにしたり。それから千春ちゃんはばんばん御馳走《ごちそう》を作って食べて、冷蔵庫の中をカラにする。勿論《もちろん》私もお相伴《しょうばん》にあずかるんだけど、千春ちゃんは本当に料理が上手《うま》い。それでも余った材料があると、千春ちゃんはそれをお隣にあげてしまう。あるいはあっさり捨ててしまう。

できたよ、と藤島さんは言い、茹でたじゃがいもにバターをおとし、塩コショウとパセリをちらした大皿を、うやうやしく捧《ささ》げ持ってリビングにやって来た。

「おいしそう。もうお腹《なか》ぺこぺこよ」

千春ちゃんが言い、彼らは缶《かん》ビールで乾杯をして、その熱々のじゃがいもをほおばった。

「運動したからね」

藤島さんが言い、私は横でのびをする。

藤島さんはたいてい六時頃《ごろ》にやってくる。彼らはまず寝室に行って運動し、運動がすむのは平均九時頃で、それから千春ちゃんがお風呂に入り、藤島さんが台所に立つ。

「藤島さんってお料理が上手ね」

千春ちゃんが言った。私は首をもたげて首輪の鈴を小さく鳴らす。つけあがらせちゃだめ

よって。

「そうでもないよ」

藤島さんは謙遜《けんそん》し、それを見て千春ちゃんはにっこり笑う。

「私は何かしてもらうのが好きよ。お料理をつくってもらうのが好き。プレゼントをもらうのが好き」

私も、私も。私も眉間《みけん》をなでてもらうのが好き。ノミをとってもらうのが好き。私は千春ちゃんの膝《ひざ》にのぼってまるくなる。つるつるしたスリップの感触、すけて感じる千春ちゃんの体温。それから私は千春ちゃんの膝で毛づくろいを始める。舞台袖《そで》で出番を待つ女優みたいに。

「あのね、藤島さん」

溶けそうな目で千春ちゃんは言った。

「私、あなたが大好きよ」

……!! 危機を感じて、私は膝から飛びおりた。藤島さんってばあんなに大きな身体《からだ》でかぶさってくるんだもの。ああ、びっくりした。にゃあんって鳴いて、私は台所に避難した。やれやれ

人間の恋は大変。もっとシステマティックにできないのかしら。季節をつくってけじめをつけるとか。

十一時半。玄関で彼らはしばらく抱きあって、千春ちゃんが茶化して何か言い、二人でひとしきり笑って、そうして藤島さんは帰って行った。また電話するって、いつもの低い声を残して。

ドアが閉まっても千春ちゃんはリビングにもどってこない。ぼーっとドアの前に立っている。あんず色のスリップから、まっすぐな白い足を二本つきだして。

にゃあああん。にゃあああん。近づいて鳴くと、千春ちゃんは私を腕に抱きあげる。私は自慢の毛をふわふわとこすりつけてあげる。

「帰っちゃった」

にゃあ《そうね》。

「せいせいした」

千春ちゃんはいつものあかるい声をだして言う。

「私ね、男の人にお料理なんて、死んでも作ってあげないんだ」

みゃあああ《知ってる》、って私はこたえる。千春ちゃんは千春ちゃんのママが嫌《きら》い。藤島さんの奥さんが嫌い。毎日ごちそうを作って、かならず帰ってくるってわかってる人を待つ女の人が嫌い。巧妙な罠《わな》を仕掛けるみたいにお料理をする人たちが大嫌い。

みゃあああん《わかってる》。私は言って、千春ちゃんの胸に顔をこすりつけてみる。早く片づけて早く寝

ようよ。藤島さんはまた来るからいいじゃない。

千春ちゃんは私をやさしくクッションの上におろし、ヨットパーカーの袖《そで》をまくって洗い物を始めた。でも、藤島さんの来た日、千春ちゃんはいつものはな歌をうたわない。ほんとはお料理も上手なのにねって、私は千春ちゃんの背中に言った。ばしゃばしゃと水の音をさせ、がちゃがちゃとお皿の音をさせて、千春ちゃんは食器を洗っている。

緑色のギンガムクロス

都心から車で五時間、しかもそのうちの二時間は山道、というとんでもないところまでやって来たのは、姉に会いたかったからではない。私と姉は、何というか、違う種類の人間なのだ。とくに仲が悪いわけではないけれど、お互いに距離をとっていないと居心地が悪い。ほんの小さな子供の頃《ころ》からそうなのだ。もう何年も会っていないし、それを淋《さび》しいと思ったこともない。だから、有休をくみあわせて十日もとった夏休みを姉のところですごすことにしたのは、単純に母のそばにいたくなかったことと、どうしても東京を離れたかったことが理由だ。

きのうの夜も、母はため息をついた。

「一体どうしてかしら」

何度きいたかわからない言葉。母の方でも、疑問というより独りごとのようにつぶやくのだ。私は反射的に左手を見る。自由になった薬指。

「あなたも柊子《しゅうこ》も、男運が悪いわねえ」

二度結婚して二度離婚した母が言う。遺伝よ、と喉元《のどもと》まででかかった言葉をのみこんで黙っていると、

「父親がちがっても、姉妹って似るもんなのねえ」

などと言う。

「やめてよ」

お姉ちゃんと一緒にしないで。あの人と私とは全然ちがうのだ。

「でも惜しかったわね。いい男だったのに」

母親という人種は、どうしてこういうセリフが吐けるんだろう。秋に着るはずだったウエディングドレス、二人で旅行するはずだった夏休み、そして、寒々しい薬指。

車寄せに車をとめると、ざざざ、と音がして、ぱちぱちと小石が跳ねる。音をききつけて、やせて大きな、黒い犬がとびだしてきた。エンジンをきって外にでる。あんまりいいお天気なので、なんだか馬鹿《ばか》にされている気分になる。それでも山の上だけあって、空気は乾いて涼しかった。犬は頭を低くして、ぎゃんぎゃん吠《ほ》えている。そしてその犬のうしろから、姉が小走りに現れた。

「いらっしゃい」

麦わら帽子の下でにっこり笑った姉は、ほっぺたがピンクだ。花柄《はながら》の、少女趣味なワンピ

ース。あいかわらずだ。姉は今年四十になる。しかし、先に口をひらいたのは姉の方だった。

「いやだ。なあに、その格好。もう三十になろうっていう人が、よくそんなに短いスカートはけるわね」

おいで、ジャーマン、とさっきの犬に声をかけ、どんどん家に入ってしまう。

「その犬、いつまでたっても野良犬《のらいぬ》みたいね。首輪くらいしたら？」

私は、姉の背中に負けおしみみたいな憎まれ口をたたく。それにしても、この家の庭はあきれるほど草ぼうぼうだ。

「お腹《なか》すいたでしょ」

石鹸《せっけん》とタオルをだしてくれながら姉が言う。

「庭にお昼の仕度をしてあるの」

のどかな人だなあと思う。

姉には、現実感というものがない。丸太小屋に毛のはえたようなこの家が、姉の住居兼アトリエである。十八年間の愛人生活の果てに、いきなり別れ話をもちだされ、慰謝料《いしゃりょう》として受けとったのがこんな山の中の丸太小屋一軒なのだから、まったくお人好《ひとよ》しだ。姉を見ているとイライラしてしまう。私は、こういう人生だけは願い下げだと思ってきたのだ。

庭にしつらえられた小さなテーブルには、緑色のギンガムクロスがかけられ、大きなピッ

チャーにたっぷりのレモネードが、日射しを反射させていた。

「うちは粗食よ」

早々と椅子《いす》にすわった姉が、ナプキンを膝《ひざ》にひろげながら言う。言葉通り、テーブルにのっているのはサラダとサンドイッチ、それにオレンジがまるのまま二つだけだ。

「わかってるわ」

私は言い、サンドイッチのライ麦パンを指でつまんでひらりとはがし、そこにバターもマヨネーズもついていないことをたしかめる。辛子はＯＫだ。粒入りならなおさらいい。サラダにきゅうりとトマトが入っていないこともたしかめてから、雨ざらしの木の椅子に腰かけた。いつもの母の言葉が降ってくる気がして、ほんの一瞬身がまえる。ほんとに好き嫌《きら》いが多いんだから――。

ここはおそろしく静かだ。風が草をわたっていく音しかきこえない。うすむらさき色の背の高い花が、かたまって揺れている。

私たちは黙ったままゆっくりと食事をした。気持ちも肉体もどんどん健康にしてくれそうな、それはきちんとしていて無駄《むだ》のない、まったく上等の粗食だった。ずっと昔、こういう場所に遠足に来たなと思う。そういえば、あのときのお弁当も母ではなく姉が作った。

「訊《き》きたいことがあれば、訊いてくれていいのよ」

食後のオレンジをむきながら私は言った。突然婚約破棄《はき》をしたのだ。何も訊かれない方が不自然ではないか。私は、気を使われるというのが好きじゃない。

「訊きたいこと？」

姉は小さな頭を不思議そうに傾ける。

「そうねえ」

しばらく考えている風だったが、やがて姉は私の顔を見てにっこり笑った。

「その人、靴《くつ》のサイズはいくつだった」

「25よ」

あのときの姉のうれしそうな顔。勝った、と言って、姉はグラスのレモネードをのみほした。

「私の元の恋人はね、26・5センチだったもの」

私は絶句し、それから急に泣きたくなった。

「なによそれ。ばかみたい」

ほんとにばかみたいだ。姉妹そろって、何をやってるんだろう。

「家系ね」

姉はにっこり微笑《ほほえ》んだ。色の褪《あ》せた麦わら帽子は、ドライフラワーで飾りたてられている。

観念しなさい、と、姉のやわらかな目が言っていた。

「冗談じゃないわ」

私は言い、それでも心の中では不思議なほどの静けさで、そのすべてを受けとめていた。姉に会いにこようと決めた時点で、すでに観念していたのかもしれない。私と姉は顔をみあわせた。山の方から弱い風がふき、私たちの手元から、オレンジが鮮やかに匂《にお》い立った。

南ヶ原団地A号棟

自由題で書かせた作文の採点をしていたら、こういうのがあった。おなじ団地に住む三人の子供の書いたもので、どれもとてもおかしくて、そのくせ妙に切実なのだ。幸い、私は子供の作文に「となりの芝生は青い」などとしかつめらしいコメントをつける神経を持ちあわせてはいないので、三つの作文それぞれに、大きな花まるをつけておいた。

叱《しか》られたこと

四年二組　大島加奈子《かなこ》

一週間くらい前、私はお母さんに叱られました。ごはんを食べながら、私が二度も、れいこちゃんちはいいなあと言ったからです。一度目は、お母さんはおはしを持ったまま、ちらっと私を見ただけでしたけれど、二度目のときはお茶碗《ちゃわん》とおはしをテーブルにおいて、怖い声で、そんなられいこちゃんちの子になっちゃいなさい、と言いました。私はテーブルにならんだ玄米ごはんと海草サラダと冷《ひ》ややっこを見ながら、心の中で、そんなことできるわけ

ないじゃん、と思いましたが、黙っていました。

私はちょっと太っています。体重が54キロあります。背は145センチなので、お母さんが壁に貼《は》ったチャートでみると、「太りすぎ」というオレンジ色の部分に入ります。その上の赤い部分だと「肥満」で、私は肥満じゃないからまあいいや、と思うのですが、そう言うとお母さんはすごく怒ります。一体誰のために毎日めんどうなカロリー計算をしてると思ってるの、とつぶやいてため息をつき、きっと大人になったらお母さんに感謝するわよ、と言います。私は、お母さんがどうしてそんなに私をやせさせたいのかわかりません。春休みには、母と子の減量道場というところに行きましたが、私は3キロしかやせなくて、それもすぐ戻ってしまったのでお母さんはがっかりしていました。(お母さんの方はやせる必要がないのに、この道場で2キロやせてしまって、どうしても元に戻らないそうです)。

れいこちゃんは、私ほどじゃないけれど、やっぱりちょっと太っています。背は私とおんなじくらいで、体重は50キロです。でもれいこちゃんのお母さんは全然気にしていなくて、れいこちゃんは何を食べてもいいそうです。学校の帰りにアイスクリームを買って食べたりしています。しかもダブルのです。壁にチャートも貼っていなくて、体重のグラフもつけなくていいそうです。

私は一週間前にお母さんに叱られて、その日は罰としてテレビをみせてもらえなかったけ

ど、それでもやっぱり、れいこちゃんちはいいなあと思います。

将来の夢

四年二組　北村れいこ

私の将来の夢は、結婚してお母さんになることです。それも、うちのお母さんみたいなのじゃなく、加藤くんのお母さんみたいにいつも家にいて、家の中のことをいろいろやるお母さんになりたいです。

うちのお母さんは仕事をもっているので大変だなあと思うけれど、でもお金がないわけじゃなくて、お父さんもちゃんと生きていて働いているんだから、お母さんは家にいればいいのになあと思います。

うちのお母さんは料理をしないし、掃除も一週間に一度しかしません。洗濯《せんたく》は夜中にするけれど、アイロンかけをためてしまうので、朝学校へ行くときに、ぴんとしたハンカチが一枚もないことがたまにあります。うちでは、ごはんは中学生のお姉ちゃんが作ります。お姉ちゃんはカレーやシチューが得意で、そういうのは案外おいしいですが、いつもは冷凍コロッケとか冷凍一口カツとかが多いので、ちょっと飽きてしまいます。

加藤くんのお母さんの趣味はお料理だそうです。遊びに行ったとき、お母さん本人がそう

言っていました。私はそれをきいて心の底からびっくりし、加藤くんは運がいいなあと思いました。加藤くんのお母さんは四種類の料理教室に通ったことがあるそうです。お菓子作りの学校の他に、です。それに、加藤くんのお母さんは、うちの団地のA号棟の中でいちばん美人だと思います。しゃべり方もやさしいです。

うちのお母さんは、私の夢には野心がなくて情けない、と言いますが、私は大人になったら結婚して、やっぱり加藤くんのお母さんみたいになりたいです。

僕の悩み

四年二組　加藤健一郎

ハッキリ言って、僕の悩みは母の料理だ。僕のつけた母のあだ名は料理魔女。我ながらいいセンスしてると思う。彼女はまさしく魔女なのだ。理性では対抗できない世界にいる。だいたい、食べ物に固執するなんて考えが古いのだ。食事というのは体に必要な栄養を摂取するための作業だってことを、ちゃんと認識してほしいものだ。いっそ、すべての食事がカプセル化されちゃえばいいのにと思う。食べるのはあごが疲れる。フランス料理、中華料理、エスニック料理、それに正統派の和食――。そういう手のこんだ食事だけでもうんざりなのに、母は毎日のおやつにも魔女的情熱をもやしている。シュークリームやフルーツタルトは

朝めし前、マティーニ風味のクレープとか、アングレーズソース添《ぞ》えのフランボワーズケーキとか、名前だけで頭痛がしそうなお菓子を母は作る。

でも、困ったことに僕は心がやさしい。母がいそいそと僕の部屋にやってきて、健ちゃん、おやつよ、と言ったりすると、どうも断りづらいのだ。しかも母の現れるタイミングは最悪で、たとえばファミコンで、ずっと手をやいていた一面をあと少しでクリアってときに限って「焼きたてだから早く早く」だったりする。僕は「げーっ」と思う。

そして、さらに「げーっ」と思うのは、僕のこんな健気《けなげ》な息子ぶりにもかかわらず、たとえば僕が悪魔のように甘い「エンジェルチョコレートマシュマロムース」を一口残しただけで、男の子はつまらないわねえ、などと母がしょんぼりすることだ。あげくのはては、あなたもれいこちゃんくらい食べ物に興味があればいいのに、とくる。冗談じゃない。僕をあんなに太らせる気だろうか。

その点、大島のうちはいいなと思う。少なくとも母親に理性がある。カプセル化された食事は無理でも、うちの母もせめて玄米食にするくらいの、'90年代的意識をもってほしいものだ。

ねぎを刻む

孤独がおしよせるのは、街灯がまるくあかりをおとす夜のホームに降りた瞬間だったりする。〇・一秒だか〇・〇一秒だか、ともかくホームに片足がついたそのせつな、何かの気配がよぎり、私は、あっ、と思う。あっ、と思った時にはすでに遅く、私は孤独の手のひらにすっぽりと包まれているのだ。孤独の手のひらは、大きくてつめたくて薄い。いつだってそうだ。私は何となく、イソップ物語の旅人のオーバーを連想してしまう。

三ヵ月に一度くらい、そういう夜がやってくる。会社でトラブルがあったわけでも、恋人とぎくしゃくしているわけでもないのに、それは本当に唐突《とうとつ》に降って湧《わ》くのだ。こっちがすっかり忘れていても、ちゃんと律義《りちぎ》に降って湧く。

ドアに御注意、というステッカーの貼《は》られた扉《とびら》があき、汗ばんだ額《ひたい》に九月の夜気があたるのと、茶色のローヒールパンプスがホームの石畳に触れるのと、私があっと思うのと、ほとんど同時だった。人の神経をひっぱたくみたいな笛が鳴りひびき、背中で扉ががしゃんと閉まる。さっきまでおしつぶされて、くしゃくしゃの紙くずみたいに変形していた人びとは、

ホームに降り立つと途端《とたん》に正しい大きさにふくらんで、元の形のちゃんとした男や女になって足早に歩いていく。彼らの背中を見送りながら、私は夜のホームにとり残される。つめたい大きな手のひらに、すっぽりと包まれて。

アパートにつくと、私はショルダーバッグをおろし、指輪をはずし、イヤリングをはずし、腕時計をはずしてストッキングをぬぐ。そしてカーテンをしめる。ぬいだ服をきちんとハンガーにかけてから、ごろんと床に倒れこむ。からだが重くて、頭も重くて、半死半生の気分だ。ごろごろと転がってみる。孤独は減らない。あーっ、とか、うーっ、とかうめいてみる。孤独は減らない。手足をばたばたさせてみる。孤独は一グラムだって減りやしない。

「ばかみたい」

私は顔にふりかかった髪を両手でかきあげながら立ちあがり、冷蔵庫をあけた。牛乳の紙パックに直接口をつけて飲む。きちんとコップに移して飲むよりは、孤独じゃないような気がして。

恵美《えみ》は留守だった。留守番電話のよそゆきの声を最後まで聴いてから、私はそのまま受話器を置いた。万知子《まちこ》も留守だった。あいちゃんも留守だった。紘子《ひろこ》にかけると、二度目のコールでいきなり本人がでたので、私はあわてて電話を切る。びっくりした。紘子が八時に帰ってるなんてめずらしいことだ。私はアドレス帖《ちょう》をひっくり返し、他に、まだ帰っていなさ

そうな人がいないかどうか考える。こんな風に電話をかけまくらなければいられない夜は、誰かと話せば話すだけ孤独になるのだ。いやというほど知っている。一人の部屋で、うっかりTVでもつけてにぎやかな音をこぼしたら、余計孤独になるのと一緒。誰にも、天地神明《てんちしんめい》にかけて誰にも、他人の孤独は救えない。

洗面所にいってコンタクトレンズをはずす。鏡にうつったどんよりした顔。私は、私の後ろに恭二《きようじ》の姿を想像してみる。恭二は私に腕をまわす。首すじに顔をうずめて大きく息をすう。両腕に力をこめながら——。恭二ならまだ帰っていないにちがいなく、恭二の留守番電話はいつもなかなかおもしろい。BGMに植木等が流れていたりするのだ。それでも、私は恭二に電話がかけられない。こういう時、恋人は事態を悪化させこそすれ、何の役にも立ちはしない。

ジェル状のクレンジング剤で化粧をおとし、丁寧に顔を洗いながら、私はぐずぐずと泣きだした。ばしゃばしゃと水をはねかしながら、ときどきひきつけたように嗚咽《おえつ》しながら、私はいつまでも顔を洗い続ける。

たとえば、私が恭二をもっと滅茶苦茶《めちゃくちゃ》に、心底、もう死にそうに愛していれば問題はないのだ。今だって恭二の会社に電話をすれば、きっと一緒にごはんを食べようってことになる。恭二はいい奴《やつ》なのに、どうして滅茶苦茶に愛せないんだろう。どうして今すぐ会って一緒に

ごはんを食べたくならないんだろう。どうして、二人の方が孤独が濃くなったりするんだろう。

たとえば、私がもっと父や母を愛していればいいのだ。もっと素直な、もっとやさしい娘ならいいのだ。実家までは電車で三十分。電話で運よく弟がつかまれば、車で迎えに来てくれるかもしれない。そうすればなつかしい食卓で、四人でごはんを食べられる。どうしてだろう。一体どうして、それがこんなにいやなんだろう。うんざりする。へきえきする。冗談じゃない。一人のほうが、まだましだ。

ほっぺたの感覚がなくなるくらい顔を洗い、厚ぼったいタオルに顔をうずめて、私はしばらく息をとめ、それからゆっくり呼吸をととのえる。

こういう夜は、ねぎを刻《きざ》むことにしている。こまかく、こまかく、ほんとうにこまかく。そうすれば、いくら泣いても自分を見失わずにすむのだ。ねぎの色、ねぎの形、ねぎの匂《にお》い。指先にしんなりするねぎの肌《はだ》の感触。ねぎを刻みながら、また涙がおしよせてくる。目の前が浅い緑色ににじむ。私は泣きながらねぎを刻む。ごはんのスイッチをいれてねぎを刻み、おみそしるを作ってねぎを刻み、おとうふを切ってまたねぎを刻む。一心不乱に、まるでお祈りか何かのように。誰かに叱《しか》られたら改心できるのだろうか。私は改心したいのだろうか。なにを、どんなふうに。

小さな食卓をととのえながら、私の孤独は私だけのものだ、と思った。しゃくりあげつつおはしを揃《そろ》え、おしょうゆつぎをだす。山のように刻んだねぎをおみそしるにどっさり入れて、冷ややっこにもどっさりかける。あしたになったらすっきりした顔で、何ごともなかったみたいに会社に行ってみせる。大きく深呼吸をして、私は泣きやんでからごはんを食べる。

コスモスの咲く庭

目をさますとすでに誰もいなかった。枕元《まくらもと》の時計は十時四十五分をさし、カーテンのすきまから、日ざしが玉子色の線を何本もおとしている。ひさしぶりの休日。のそのそと起きて顔を洗い、寝巻のまま茶の間で朝刊に目を通す。静かな、よく晴れた日曜日。濡《ぬ》れ縁《えん》の向う、庭の隅《すみ》にコスモスが揺れている。子供たちがいないのはいつものことだが、女房までいないのはめずらしいことだった。二十歳になる長女と、今日はデパートに行っている。眠っている私の鼻先に、香水のぷんぷん匂《にお》う顔をつきだして、じゃあ行ってきますね、と言ったのは、九時だったのか十時だったのか。夕飯までには帰ります、と女房は言った。お昼は店屋物でもとって下さいね。もしお作りになるならインスタントラーメンが白い戸棚《とだな》に、卵が冷蔵庫に入っています。あの時女房は金色のイヤリングをつけていた。イヤリングをつけた女房を見るのは、ひさしぶりのことだった。

スポーツ欄を漫然と眺《なが》めながら緑茶をいれる。十七歳になる長男は、日曜日に家にいたためしがない。つねに「友達んとこ」か、「友達とそのへん」である。それでもとりあえずぐ

れもせずに大きくなったようなので、まあ良かったことだと思う。友達を大切にしているらしいのもいい。

それにしてもしずかだ。新聞をめくる音が耳について仕方ない。こんなにしずかだと、嫌《いや》でも陳腐《ちんぷ》な感傷が湧《わ》いてくる。子供たちが小さくて、私も女房も若かった頃《ころ》のこと、どこの家庭にもある、ありふれた思い出の断片。たまの休日、目をさますと、子供たちが電話口で謝《あやま》っている声がきこえた。約束をキャンセルしているのだ。「ごめん。今日お父さんいるから」一応すまなさそうな声をだしてはいたが、電話をきると勢いよく襖《ふすま》をあけ、期待と歓喜にみちた声をあげながら、寝室にとびこんできた。「お父さんっ。もう朝だよ」

やれやれ。この手の感傷にひたる趣味はなかったはずだ。第一、あの頃は内心あれほど切実に、誰もいない休日を自分だけのためにすごしてみたい、と願っていたではないか。それが実現したまでのことだ。新聞をたたみ、緑茶をのみほすと私は背中をのばし、よし、料理でもしよう、と思った。インスタントラーメンなんかじゃなく、もっときちんとした、料理らしい料理。これでも、独身時代には友達を招《よ》んで腕をふるったりしたものだ。中でも特製の焼きそばは評判がよく、ポン友の沢井など、金を払ってでも食いたいなどとうまいことを言っては週末のたびにおしかけてきた。

そうだ、あれを作ろう。鉄板でダイナミックに炒《いた》める海鮮焼きそば。じゅうじゅういう音

とけむり、ソースのこげる匂い。俄然《がぜん》食欲がでてきた。

駅前のスーパーはほどほどに混《こ》んでいた。主婦たちのテリトリーであるこういう場所に、緑色のカゴを片手に闖入《ちんにゅう》するのは多少気がひけたが、それも初めのうちだった。もともと、こういう場所は嫌《きら》いじゃない。

それにしても品数の多さには目をみはる。私の独身時代の比ではない。野菜のコーナーには知らない外国野菜がいくつもあるし、スパイスや缶詰《かんづめ》の棚など、本屋で本の背表紙を見るようで、ちょっとした興奮さえおぼえる。そして、冷凍食品の種類といったら――。女房もこういうものを便利に使っているのだろうか、と思うと、ふいに裏切られた気分になった。

何度も立ちどまってはあれこれ手にとって見ながら、ゆっくり通路を一巡する。カゴには焼きそばの玉と紋甲《もんごう》イカ、ブラックタイガーと白菜、きくらげとにんじんが入っている。ずいぶん時間をくってしまった、と思いながらいったんレジの列についたのだけれど、次の瞬間、レジの手前、乳製品のコーナーに目がすいよせられた。たちまち郷愁がおしよせる。

学生時代、初めてつきあった恋人の、好物だったびん入りヨーグルト。ずんぐりした小型のびんといい紙のフタといい、なんとなくくすんだガラスの表面といい、昔のままだ。整然と並んだ清潔な紙パック入り乳製品の中で、そこだけ三十年前のようだった。思わず一つカゴに入れ、私はわけもなくうしろめたい気持ちになりながら、足をはやめてレジに戻った。

四年程前に家を改装して以来、台所に立つのは初めてのことだった。そのがらんとしたシステムキッチンとやらに立ち、私はたちまち途方に暮れた。まず蛇口《じゃぐち》（あれを蛇口と呼べればの話だが）のひねり方がわからないのだ。つるんとした丸いボタンは、一度上にひっぱりあげてからまわせば動くとわかるのに、二、三分を要した。まな板のしまい場所も調味料のありかもさっぱり見当がつかない。まるで忍者屋敷だ。きわめつけは鉄板で、何と床下に収納されていた。

まあいいさ、ぼちぼちやろう。私は冷蔵庫から缶ビールをだしてあけ、飲みながら材料を揃《そろ》えた。揃えた材料を茶の間に運び、鉄板に油をひいて腰をおろすと、庭のコスモスが午後の日をあびて、平和な顔で揺れている。

じゅうぶん熱された鉄板に灰緑色のエビをのせると、ぱちぱちと小気味いい音がして油がはね、片面がみるみる赤くなる。となりでそばを炒め、イカと野菜を加え、今だ、というタイミングをみはからってソースをまわしかける。ソースにすりつぶした鰹節《かつおぶし》とガーリックパウダーをまぜるのがミソで、すべてまぜた後に一分くらい待つのも大切である。時計はすでに三時近く、ソースの匂いが鼻を刺激して、私は申し分なく空腹になっていた。食後には、なつかしいヨーグルトが冷蔵庫で待っている。

いよいよできあがり、その熱々の焼きそばをたっぷり皿にとった瞬間、玄関で戸のあく音

がした。続いて女房と娘の声。

「あー、くたびれた。日曜はどこも混んでいるわね」

最悪のタイミングだ。女どもはばたばたと茶の間に乱入して目をまるくする。

「まあ、何なさってるんです」

それにこのけむり、と言って女房は窓をあけた。

「いや、その」

たじろいでいる自分が、我ながら情けなかった。気儘《きまま》な休日は突然その幕をおろす。

「どうだった。欲しいものは買えたのか」

「あ。ヨーグルト」

台所で娘の声がした。食べてもいい？　これ。

「勿論《もちろん》だよ。おあがり」

私は心とうらはらに、ぎこちなく微笑《ほほえ》みながらそうこたえていた。

冬の日、防衛庁にて

ビルのすきま、細い路地の一本一本にも冬の光がたっぷりとみち、寒いけれど美しい午後、私は教えられたとおりの道を歩いた。日曜日、真昼の防衛庁界隈《かいわい》はしんとしている。青磁の大皿が飾られた、骨董《こっとう》品屋のウインドウのガラスで、自分がどんな風に見えるかたしかめる。髪の感じや口紅の濃さ、ジャケットとスカートのバランスなんかを。実際、今日の格好を決めるのに、私は細心の注意を払った。恋人と会う時よりずっと慎重に、ずっと狡猾《こうかつ》に。白いシャツブラウスに紺のミニスカート、一目で男物と判《わか》る大きさの濃紺ラムウールのブレザー。シンプルな銀のブレスレットに上質の皮靴《かわぐつ》。勿論《もちろん》、自慢の脚をできるだけ効果的に見せるためのコーディネートだ。

大丈夫。きりっとしてるし、赤い口紅もいやらしくないわ。

私は心の中で言い、背すじをのばしてまた歩き始める。

「修羅場《しゅらば》になっちゃうかもよ」

夕べ、電話口で妹は言い、でも逃げたくないわと私は言った。それに清水さんの奥さんっ

てどういう人なのか、すごく興味あるじゃない。

「そうねえ」

妹は少し考えてから、その女もいい度胸よねと言い、電話の感じはどうだったのと訊《き》いた。

「よくわからないわ。言葉少なだったから。でも落ちついていたし、やさしい声をしてた」

妹はため息をつく。

「いい？　騙《だま》されちゃだめよ。それが相手の作戦かもしれないでしょう。はかなげでか弱い妻。きっと泣きおとしよ。心配だなあ。お姉ちゃん単純だから」

ついていってあげる、という妹の申し出を断ると、彼女はうんざりするほどたくさんの注意事項を並べたてた。いわく、「まず余裕をみせること。清水さんにぞっこんだなんて悟られないようにね。彼があんまり積極的でびっくりしている、くらい言ってもいいと思うわよ」、いわく、「イタリア料理？　メニューの選び方で値ぶみされるかもしれないわね。間違ってもティラミスなんてだめよ。ミラノ風カツレツもパス。もう少しすっきりして知的なものにしなさいね。知性は大事よ。相手は専業主婦でしょう？　こっちは仕事のできる、キレ者のキャリアガールだって肝《きも》に銘じさせなくちゃ」

それは、小さいけれど感じのいい、あかるい、テラスのある店だった。冬空の下、赤い庇《ひさし》がはりだしている。私は扉《とびら》をあけ、中年の給仕に清水という名を告げた。いつものデートの時

みたいに。給仕は先に立ち、職業的な物腰で案内してくれる。奥の席でお待ちです——。

「およびたてしてごめんなさい」

その人は立ちあがり、美しく微笑《ほほえ》んでそう言った。可憐《かれん》な白いツーピース、肩のあたりでゆるく波打つやわらかそうな髪、ほっそりした指先、ピンクのマニキュア、指輪のない薬指。その人の何もかもが、想像とあまりに違いすぎていた。

「飲み物はワインでいいかしら」

ええ、と言って椅子《いす》にすわり、私はあらためて目の前の美しい人を見つめた。清水さんの話では、奥さんは今年四十になるはずだ。

「はじめまして」

手際《てぎわ》よくワインを注文し、私の顔を見てその人は言った。びっくりしたでしょう、急に電話したりして。でも前からお会いしたいと思っていたの。どんなお嬢さんかしら、って。

お嬢さん、といわれたことが不愉快だった。妹の言葉が頭をよぎる。ダマサレチャダメヨ。

「何をめしあがる?」

私は一応メニューをひらいたが、予《あらかじ》め決めていたとおり、コンソメスープと新鮮な魚のソテー、それにトマトとアボカドのサラダを注文した。妹の意見によれば、それが知的な選択というものだった。

「じゃあ私もコンソメをいただこうかな」

その人はにっこり笑って言った。

「それからホウレン草とベーコンのサラダ。メインは、そうねえ、ミラノ風カツレツにしましょう」

料理が運ばれてくるまでに、衿子《えりこ》さん（というのがその人の名前だった）は最近観《み》た映画の話と飼い猫《ねこ》の話（それは雑種のブチ猫で、もう十四年も生きているそうだ）、それに子供の頃《ころ》好きだった叔父《おじ》さんの話をしてくれた。修羅場の気配も泣きおとしの気配もまるでない。当然訊《き》かれるものと思っていたいくつもの質問――清水さんとどこで出会い、どんな風に恋におちたか、どのくらい頻繁《ひんぱん》に会っているのか、これからどうするつもりなのか――に触れる様子も全くなかった。私は困惑し、適当に相槌《あいづち》を打ってはいたが、本心では早くこの場を去りたくて仕方なかった。キレ者のキャリアガールがきいてあきれる。

料理がくると、大ぶりのグラスに注《つ》がれたキャンティワインを優雅なしぐさですいすい飲みながら、衿子さんはますます無邪気に他愛《たわい》ないことを喋《しゃべ》った。それも決して饒舌《じょうぜつ》な風にではなく、とても清楚《せいそ》なやり方で。そして突然ナプキンで口をぬぐうと、

「ね、今度はあなたのことを話して」

と言って目だけで微笑んでみせるのだ。

この人はとびきりの聞き上手だった。小さな感嘆詞や的《まと》を射《い》た質問をところどころにさしはさみ、人の話を苦もなくひきだしてしまう。しかも妹いわくの「あぶらっぽくて田舎くさい」カツレツを、この上なくおいしそうに食べながら。私は仕事のことやスキーのこと、果ては高校時代に憧《あこが》れていた男の子のことまで何となく話してしまい、衿子さんはそういう話の一つ一つを、楽しそうにきいていた。

私たちはコーヒーとアイスクリームで昼食をしめくくり、支払いをすませてあかるく晴れたおもてにでた。

「ああ、おいしかった。よかったわ、あなたにお目にかかれて。清水があなたに惹《ひ》かれるのもよくわかる」

衿子さんは何の毒も棘《とげ》もない声で言う。毒も棘もない、でも有無を言わせない強さのある声で。私はたちまち涙が溢《あふ》れた。どうしてかはわからない。でも私はこの人の敵でさえない。

衿子さんは気がつかないふりで続けた。

「今日私たちが会ったこと、清水には内緒にしましょうね。動揺させせちゃ可哀相《かわいそう》だもの」

私はもう抑制がきかなくて、声をだしてしゃくりあげる。私を泣かせることなんて、この人には朝飯前だったのだ。修羅場の方がずっとまし。泣きおとしの方がずっとまし。

「それじゃあここで。お元気でね」

衿子さんは花びらみたいに微笑んで、完璧《かんぺき》な後ろ姿で遠ざかっていった。

とくべつな早朝

そりゃあ俺《おれ》はコンビニが好きだし、深夜勤だから給料も結構いい。バイトとしては気に入ってるよ。雑誌は読み放題だし、売れ残ったパンやおにぎりはもらえるし、店長もいい人だしね。

だけどだよ、だけどやっぱり今夜だけは、勤務ひきうけるんじゃなかったなと思う。川村さんか西田さんに代わってもらえばよかったよ。あの人たちならもういい年だし、クリスマスイブなんて関係なさそうだもんな。あーあ、二十一歳のクリスマスイブにさ、何で俺こんなところにいるんだろう。客はカップルばっかりだしさ、まったくおもしろくない。カップルなんて赤坂かどっかでイタリア料理でも食ってりゃいいんだよ。私鉄沿線、各駅しか停《と》まらないちっぽけな駅の、改札から十五分も歩くところにぽつんと立ってるこんなへんぴなコンビニにさ、何でわざわざ来るかねえ。そりゃ、こっちはそれをあてにして、一応クリスマス商品揃《そろ》えて待ってるわけだけど。

だいたいこいつらの買うものは画一的すぎるよ。来るカップル来るカップル、みんな同じ

物をカゴにいれていく。チキンだろ、ケーキだろ、パックに入ったグリーンサラダと安物のシャンパン、それに勿論《もちろん》ぬかりなく、例の小さなゴム製品。俺はレジを打ちながらつい考えちゃうね。こいつら、みんな同じ物食って同じことするのかな、ってさ。

俺の今日の夕食はヒレカツ弁当だった。いつもはせいぜい鳥そぼろか幕の内なんだけど、店長が帰りしな、にこにこ笑って言ってったのだ。「林くん。今日はヒレカツ弁当を食べていいぞ。クリスマスだからな」って。ありがとうございますって言ったけどさ、何ていうか、クリスマスイブのヒレカツ弁当はかえって侘《わび》しかったな。

今年の場合、バイトがなくても他に予定があるわけじゃなかったし、店長のせいで侘しいわけじゃないけどね。それにしてもばかばかしいよな。何でクリスマスだと俺が侘しくならなきゃいけないのかな。おめでたい日なのにさ。イエス様の誕生日。生きてたらいくつになるんだろう。天にましますイエス様、見えますか。僕は健気《けなげ》に働く勤労学生です。もしも哀れに思し召《おぼしめ》すなら、願いの一つも叶《かな》えて下さい。たとえば英文科の加藤さんが突然何か買いに現れるとか――。まさかね。

時計は午後十時をさしている。客がとだえたので、俺はモップをひっぱりだして床をふく。結構きれい好きなんだ。汚れた靴《くつ》で足跡なんてつけられると、早くふきたくてうずうずする。

ドアのあく音、四、五人の集団客の気配。

「いらっしゃいませ」

反射的にあかるい声をだし、俺って軽薄だな、と思った。レジに戻ると、客は男女四人組、どう見ても十六歳、二輪免許とりたてって感じのガキどもだった。大声で騒ぎながらお定《き》まりの品物をカゴに入れていく。もっともチキンのかわりにポテトチップス、シャンパンのかわりにコークのペットボトルを買うあたり、やっぱり高校生のチョイスだな。え？　コーンフレークと牛乳も買うの？　おいおい、泊まっちゃう気か。いいのかよ。女の子たち、家の人には何て言ってきたんだ。

……何やってんだ、俺。大きなお世話だよな。ガキのプライバシー詮索《せんさく》するなんて。あー、情けない。

あいつに電話してみよう、と突然思った。このガキどもが帰ったら事務所にとびこんで、奥で伝票整理をしている早瀬さんに、五分だけ店番を代わってもらえばいい。トイレとか何とか言ってね。うん。加藤さんがイブに暇だとは思えないけど、あいつなら暇かもしれないな。クリスマススペシャルのメロドラマかなんか観《み》て、一人でくさっていたりして。

同じクラスの深沢秋美は、案の定家にいた。ははは、やっぱりな。同志っているもんだよな。

「もしもし？」

「あ、深沢？　俺、林」

「助詞使って話しなさいよ」

「やっぱり御機嫌《ごきげん》ななめですね」

「どういう意味よ」

電話でもあいかわらず気が強い。

「あのさ、今バイト先なんだけど、暇ならちょっとでてこないかな、と思って」

「……何しに？」

「何って……」

困った。それを考えてから電話するんだった。

「何って……アイスクリームだよ」

「アイスクリーム？」

「うん。お前、アイスクリーム好きだろ。ここのアイスなかなかなんだ。種類も六種類あってさ、全部味見させてやるよ」

我ながらしょうもない誘い方だ。冷や汗もの。深沢はしばらく黙っていた。

「でも、もう十時半よ」

今度は俺が黙るばんだった。

「それにうちからあなたのお店まで、電車乗りついで四十分かかるのよ」

……そうか、忘れてた。

「それでもアイスクリームの試食をしに、わざわざ来いっていうの？」

「いい、忘れてくれ」

「何よ、それ」

あいつはすっとんきょうな声をだす。当然だと思う。

「悪い。もういいんだ」

それじゃあ仕事があるから、と言って、俺は一方的に電話を切った。電話なんて、しなきゃよかった。

十二時をすぎると、いつものお客さんがちらほら顔を見せ始めた。いれかわりたちかわり現れて、クリスマスなんて関係ないねという顔で、雑誌を立ち読みするお兄さんたち。一時すぎには、時々やって来てはお菓子を山のように買っていくお姉さんも来た。淋《さび》しい女は太る、なんて固いことは言わないよ。今夜はチョコレートの一枚もおまけしてあげたい気分。ドービョーアイアワレム、ってね。ガラス戸の外は夜が深く、店の中は思いきりあかるくて暖かで、いつもの静寂、いつもの孤独。俺はこの時間がいちばん好きだなと思う。

三時、四時。断続的に襲《おそ》ってくる睡魔を濃いコーヒーでごまかしながら、ストレッチをし

てみたりする。事務所から早瀬さんが顔をだし、頑張《がんば》れよ、と声をかけてくれる時間。

午前五時四十九分、この朝最初の客が来た。ドアのあく音、外の空気の流れこむ気配。月も星もまだでているが、たしかに清潔な朝の匂《にお》いだ。街はもう動きだしている。

「いらっしゃいませ」

あかるく言ってふりむくと、深沢秋美が立っていた。紺のオーバーに緑のマフラー、寒さで少しほっぺたを赤くして。

「アイスクリーム」

小さな声で、深沢は言った。それが、メリークリスマス、と俺にはきこえ、俺は二人分のクリスマスの朝食を、ウエハースのカップに山盛りにした。

解説

川本三郎

　はじめて読んだ江國さんの作品は「デューク」だった。軽く読みはじめ、あっというまに読み終ったのに、あとに、深い感動が残った。「文学の至極は怪談にあり」といったのは三島由紀夫だが、「デューク」は一種の怪談である。

　可愛《かわ》いがっていた犬のデュークが死んでしまった。「私」は悲しくて仕方がない。電車のなかで会った見知らぬ男の子が、「私」をやさしく慰めてくれる。二人は一日いっしょに過ごす。プールに行き、美術館に行く。落語を聞く。夕暮れ、これからクリスマスを迎えようとしている町で二人は別れる。別れ際《ぎわ》に男の子は「私」にキスをする。その瞬間に「私」は、この男の子が死んだデュークだったのだと気がつく。

　つまり男の子は、死んだデュークの幽霊で、一日だけ、自分を可愛いがってくれた「私」に別れを告げに戻ってきたのだとわかる。

　無論、江國さんは、男の子がデュークの幽霊だなどとはっきりは書いていない。そんな野

暮なことはしない。ただ、「淋《さび》しそうに笑った顔が、ジェームス・ディーンによく似ていた」と書くだけであとは読者の想像にまかせている。この「落ち」のつけ方が実にうまい。若い人が書いたとはにわかには信じられないほど洗練されている。昭和三十年代に短編の名品を次々に書いて〝ショート・ショートの名手〟といわれた山川方夫《まさお》の世界を思い出す。

「デューク」は江國さんの小説世界の始まりのような気がする。やさしい。悲しい。といってその気持を深く書きこまない。最後のところで作者は、ふっと読者の前から姿を消していく。説明をしたり、説教をしたりしない。大仰に感動を盛り上げようともしない。デュークが「私」にそっとキスをして立ち去ったように、江國さんも最後のところで静かに作品の向うに行ってしまう。

私は小劇場の芝居が好きでよく見に行くのだが、小劇場はだいたい二つのタイプにわかれる。芝居が終ったあと何度もカーテンコールをやって、観客がいつまでも拍手する。このタイプが大半。あと少数だが、芝居が終ると一回だけ舞台で役者たちが頭を下げて終り、というあっさりとしたタイプ（たとえば、平田オリザの青年団）。

江國さんの作品はいうまでもなく後者のタイプだ。あっさりと終る。読者は「よかった！」と大声を出したりしない。ひとりで「いいなあ、デュークは」とつぶやいて、あとは自分の胸のうちにしまいこんでおく。

「デュ－ク」は怪談だといったが、ここには通常の怪談にあるようなおどろおどろしさや残酷さはまったくない。「私」の前にあらわれるデュークの幽霊は、怖い幽霊ではなく、心やさしい幽霊である。生きている「私」が彼を慰めているのではなく、死んでいる彼のほうが「私」を慰めている。はじめに一種の怪談といったのはそのため。ここでは生と死がとても近い関係にある。通常の怪談のように生と死が厳しく分断されていない。死を遠いものではなく、むしろ親しいものとして感じる。これは江國さんだけでなく、吉本ばななや村上春樹にも通じる感覚である。みんな、実は、若いようでいてとても老成している。たぶん、子どものころに早くも人生には死があることを知って、それとコンタクトをとろうとしながら成長してきている。

「私」とデュークは夕暮れの町で別れる。ネオンがぽつぽつとつきはじめる「うす青い夕暮れ」。映画のカメラマンの専門用語に「マジック・アワー」という不思議な言葉がある。太陽が沈んだあと、数分間だけ、まだ光が残る。その短い時間は、光がもっともきれいなときで、この時間に撮影すると信じられないような美しい映像が得られるという。ただ、これはほんとうに短い時間なので誰にでも出来ることではない。奇跡のような瞬間。だから「マジック・アワー」と呼ばれる。

デュークと「私」が別れるのもマジック・アワーのなか。昼でも夜でもない「うす青い夕暮れ」の時間のなかで、夢と現実、生と死がやさしく溶け合っていく。

「藤島《ふじしま》さんの来る日」の猫《ねこ》は、眉間《みけん》をなでてもらうのが好き、ノミをとってもらうのが好きというが、江國さんの作品には「好きなもの」がたくさん出てくる。「私」がデュークを思い出すときは、デュークが好きだったものを思い出している。デュークの好きだったたまご料理とアイスクリームと梨《なし》。それから落語。

「私」とデュークがお互いに〝いいところ〟を教え合うのも江國さんらしい。好きになった人間には、自分の大事な場所をそっと教える。秘密のいいところを教える。

「草之丞《くさのじょう》の話」では、おふくろは草之丞に好物のあじの開きを持っていく。「鬼ばばあ」の時夫は相撲が好きだし、おばあさんの昔話を聞くのが好き。「スイート・ラバーズ」のおじいちゃんは死んでしまったおばあちゃんが氷すいが好きだったことを思い出す。「コスモスの咲く庭」のお父さんは、奥さんと子どもたちが出かけてしまった休日、ひとりで大好きな海鮮焼そばを作り、学生時代の恋人が好きだったびん入りヨーグルトを買って来る。「とくべつな早朝」のコンビニでアルバイトをしている学生は、朝早く来てくれた女友達にアイスクリームをウエハースのカップに山盛りにして差し出す。

江國さんは好きなものを少しずつ作品のなかに書きこんでいく。そうして「私」がデュークを好きだったこと、デュークが「私」を好きだったこと、時夫がおばあちゃんを好きだったこと、おじいちゃんがおばあちゃんを好きだったこと……を読者に伝えていく。

江國さんはいつも好きと肯定的にいう。「ノーというのは簡単だ。イエスというから難しい」と、昔、文芸評論家の小林秀雄はいったが、世界を肯定的にとらえるのは本当は難しい。

好きなものを持っているのは楽しい。好きな人がいるのはうれしい。しかし、その喜びはいずれ悲しみに変る。好きなもの、好きな人はいずれ消えてしまうのだから。だから、好きなものをたくさん持っている人ほど、悲しみもふえる。「デューク」が悲しいのは、きっとそのためだろう。江國さんは、子どものころ早くに、好きなものはいずれ消えてしまうという悲しい事実を知ってしまったのだろう。江國さんの小説世界はそこから始まっている。

「草之丞の話」も「デューク」と同じように幽霊の話である。この幽霊も「デューク」と同じように、怖い幽霊ではなく心やさしい幽霊だ。「僕」のおふくろを守護神のように守っている。ここでも生と死の境は大きくない。「僕」もおふくろも死に親しい気持、懐《なつか》しい感情を持っている。

江國さんは変身のテーマも好きだ。

「夏の少し前」の洋子は、子どもから大人へとふわふわと変っていく。「いつか、ずっと昔」のれいこは、人間からへび、豚《ぶた》、貝と次々に姿を変えていく。といっても、輪廻《りんね》転生というような大仰な話にはならない。もっと慎《つつ》ましい、意識の流れのような変身だ。次々に、新しい未知のものに変っていくという前向きの変身ではなく、〝ずっと昔〟に見たような、懐し

い場所へ、生まれてきた場所へと戻っていく変身だ。昔へ、昔へと過去に帰っていく旅だ。「スイート・ラバーズ」の「私」はおばあちゃんの生まれ変りだといわれていて、こんなことを思う。「それに時々、私はふしぎな記憶を感じることがある。ずっと昔の、私がまだ生まれてもいないころのことを、なぜだかおぼえているような気がするのだ」。

きっと江國さんにとっては、死とは、その〝ずっと昔の、私がまだ生まれてもいないころ〟に帰っていくことなのだろう。生きているときには、はっきりと意識していなかった故郷に帰っていくことなのだろう。江國さんのなかでは、いまとずっと昔がどこかでつながっている。デュークは死んだのではなく、懐しいところへ帰っていったのだ。デュークだけでなく、私たちは、ほんとうは〝ずっと、昔〟に所属していて、いまはちょっとだけ、この地球に仮住まいしているだけなのかもしれない。

江國さんが、おじいさんやおばあさんが好きなのも、老人たちが死んでいく人なのではなく、懐しい場所へ帰っていく人たちだからだろう。「鬼ばばあ」のおばあちゃんも「晴れた空の下で」のおじいちゃんも決してぼけてしまったのではなく、子ども時代へ帰っていったのだ。実際、人間は、年をとればとるほど、いまのことよりも昔のことのほうを鮮明に思い出すというではないか。

幽霊、変身、転生……江國さんの小説世界をテーマ別にわけるとそうなる。しかし、そう

いう評論家的作業は、ここではあまり意味がない。江國さんはそんな紋切り型のテーマに惹《ひ》かれているわけではないからだ。

江國さんはただ、可愛いがっていた犬が死んでしまって悲しい、おばあさんが死んでしまって悲しいという、自分にとって大事な気持を、自分だけの柔らかな言葉で読者に伝えようとしているのだから。

江國さんには、小さいけれど好きなものがたくさんある。いいところがたくさんある。たまご料理、アイスクリーム、梨、落語、プール、美術館。あるいは、放課後の教室、ふうわり、ふうわりと落ちてくる雪、三日月のきれいな山の奥の寺、いつか出来るお花畑のなかのお墓、養老院の青屋根、夜の梅林、海岸。「ねぎを刻む」の、その夜いつもと違って急に孤独を感じた「私」がひとりで刻むねぎ。「晴れた空の下で」のお椀《わん》のなかに浮かんだ手鞠麩《てまりぶ》。「コスモスの咲く庭」のびん入りのヨーグルト。江國さんの作品のなかでは、ふだん私たちのそばにある小さな食べものが、なんと輝いて見えることだろう。テーマなどという大仰なものはどうでもいい。江國さんは、ただ自分の好きな懐しい風景を静かに描いていく。だから「夏の少し前」の洋子の言葉が胸を打つのである。「私、ずっとながいこと、こんな光景にあこがれていたような気がします」。

（平成八年四月、評論家・翻訳家）

「つめたいよるに」は平成元年八月、「温かなお皿」は平成五年六月、理論社より刊行された。

江國香織著
きらきらひかる

二人は全てを許し合って結婚した、筈だった……。妻はアル中、夫はホモ。セックスレスの奇妙な新婚夫婦を軸に描く、素敵な愛の物語。

江國香織著
こうばしい日々
坪田譲治文学賞受賞

恋に遊びに、ぼくはけっこう忙しい。11歳の男の子の日常を綴った表題作など、ピュアで素敵なボーイズ&ガールズを描く中編二編。

江國香織著
ホリー・ガーデン

果歩と静枝は幼なじみ。二人はいつも一緒だった。30歳を目前にしたいまでも……。対照的な女性二人が織りなす、心洗われる長編小説。

佐伯一麦著
ア・ルース・ボーイ
三島由紀夫賞受賞

少年は県下有数の進学校を捨てた。少女とその赤ん坊のため、そして自らの自由のために。若く、美しい魂たちの慟哭を刻む傑作長編。

酒井順子著
ニョタイミダス

唇、鎖骨、尻、下っ腹、に肛門!? 全女子の、自分のカラダ=ニョタイへの親心をキュッと一刺し。沈着で痛快な女体45部位解析コラム集。

酒井順子著
自意識過剰!

「この相手に私はどう思われているのだろう」。乙女心のパワーの源〝自意識〟を、筋金入りの自意識過剰者サカイが斬る、痛快エッセイ!

山田詠美著
カンヴァスの柩《ひつぎ》

ガムランの音楽が鳴り響く南の島を旅する女ススと現地の画家ジャカの、狂おしいまでの情愛を激しくも瑞々しく描く表題作ほか2編。

山田詠美著
ひざまずいて足をお舐め

ストリップ小屋、SMクラブ……夜の世界をあっけらかんと遊泳しながら作家となった主人公ちかの世界を、本音で綴った虚構的自伝。

山田詠美著
色彩の息子

妄想、孤独、嫉妬、倒錯、再生……。金赤青紫白緑橙黄灰茶黒銀に偏光しながら、心のカンヴァスを妖しく彩る12色の短編タペストリー。

山田詠美著
ラビット病

ふわふわ柔らかいうさぎのように、いつもくっついているふたり。キュートなゆりちゃんといたいけなロバちゃんの熱き恋の行方は？

山田詠美著
放課後の音符《キイノート》

大人でも子供でもないもどかしい時間。まだ、恋の匂いにも揺れる17歳の日々——。放課後にはじまる、甘くせつない8編の恋愛物語。

山田詠美著
ぼくは勉強ができない

勉強よりも、もっと素敵で大切なことがあると思うんだ。退屈な大人になんてなりたくない。17歳の秀美くんが元気溌剌な高校生小説。

村上春樹
安西水丸著
村上朝日堂
ビールと豆腐と引越しが好きで、蟻ととかげと毛虫が嫌い。素晴らしき春樹ワールドに水丸画伯のクールなイラストを添えたコラム集。

村上春樹著
螢・納屋を焼く・その他の短編
もう戻っては来ないあの時の、まなざし、語らい、想い、そして痛み。静閑なリリシズムと奇妙なユーモア感覚が交錯する短編7作。

村上春樹著
世界の終りとハードボイルド・ワンダーランド
谷崎潤一郎賞受賞（上・下）
老博士が〈私〉の意識の核に組み込んだ、ある思考回路。そこに隠された秘密を巡って同時進行する、幻想世界と冒険活劇の二つの物語。

村上春樹
安西水丸著
日出る国の工場
好奇心で選んだ七つの工場を、御存じ、春樹&水丸コンビが訪ねます。カラーイラストとエッセイでつづる、楽しい〈工場〉訪問記。

村上春樹
安西水丸著
ランゲルハンス島の午後
カラフルで夢があふれるイラストと、その隣に気持ちよさそうに寄りそうハートウォーミングなエッセイでつづる25編。

村上春樹著
雨天炎天
―ギリシャ・トルコ辺境紀行―
ギリシャ正教の聖地アトスをひたすら歩くギリシャ編。一転、四駆を駆ってトルコ一周の旅へ――。タフでワイルドな冒険旅行！

椎名誠著
蚊

狭いおれの六畳間を黒々と埋めて飛び回るカ、カ、カ、蚊の大群……。スーパー・フィクション「蚊」をはじめ、多彩な椎名誠世界、全9編。

椎名誠著
ロシアにおけるニタリノフの便座について

シベリアを旅する椎名誠が出会ったのは、なんと便座の全くないトイレだった！　素朴な疑問と正しい怒りの過激実感文集、全7編。

椎名誠著
新橋烏森口青春篇

明るくおかしく、でも少しかなしい青春——小さな業界新聞社の記者として働くシーナマコトと同僚たちの〈愛と勇気と闘魂〉の物語。

椎名誠著
武装島田倉庫

架空の「戦後」の世界を舞台に繰り広げられる、男たちの闘いと冒険の日々。独特の言語感覚で描きだした超常的シーナ・ワールド。

椎名誠著
銀座のカラス（上・下）

23歳の新米編集者が突然編集長に。ええい、こうなったら酒でもケンカでも女でも仕事でも何でもこい！　なのだ。自伝的青春小説。

椎名誠著
気分はだぼだぼソース

誰もが一度は感じる素朴なギモン。シーナマコトの観察眼はやがてそれを怒りに変える。スーパーエッセイの傑作、ついに文庫化！

群ようこ著
鞄に本だけつめこんで
本にまつわる様々な思いを軽快な口調で語りながら、日々の暮らしの中で親しんだ24冊の本を紹介。生活雑感ブック・ガイド。

群ようこ著
日常生活
作家の日常生活は一体全体どうなっておるのだ？ というあなたの問いに明快な答え。どこを切っても群ようこな書下ろしエッセイ。

群ようこ著
びんぼう草
こんな生活、もう嫌だ。私、やめます！ ところが……。会社勤めに悩む人々に贈る「満員電車に乗る日」など、元気百倍の痛快小説集。

群ようこ著
亜細亜ふむふむ紀行
香港・マカオ、ソウル、大阪——アジアの街をご近所感覚で歩いてみれば、ふむふむ、なるほど……。文庫書下ろしお気楽旅行記。

群ようこ著
本は鞄をとびだして
半径500メートルのことにしか関心がない、と公言する著者が、海の向うの文学を読んでみれば……！？ 超過激読書エッセイ海外編。

群ようこ著
膝小僧の神様
恋あり、サスペンスありの過激な小学校時代には、一人一人が人生の主人公だった。全国一億の元・小学生と現・小学生に送る小説集。

清水義範著　秘湯中の秘湯

絶対に行けない前人未踏の秘湯ガイドや、無知な女子大生、うんざりするほど長い手紙など身近な言葉を題材にした傑作爆笑小説11編。

清水義範著　名前がいっぱい

子供の命名でパニック。戒名を自分で考えて四苦八苦――本名、あだ名、ペンネーム、匿名などなど名前にまつわるすったもんだ10篇。

清水義範著　ターゲット

キング、クーンツらのホラー小説を大胆不敵にパロディ化し、奇想天外の結末に読者を連れ出す、めくるめく清水流ホラーワールド。

斎藤綾子著　ルビーフルーツ

激しくセックスに溺れ、痙攣するのが気持ちイイ。性の快楽を貪るバイセクシャルな女性たちを描いたアヴァンポップな恋愛小説集。

斎藤綾子著　愛より速く

肉体の快楽がすべてだった。売り、SM、乱交、同性愛……女子大生が極めたエロスの王道。時代を軽やかに突きぬけたラブ＆ポップ。

白石公子著　もう29歳、まだ29歳

結婚を思えば「もう29歳だから」と言い、仕事を考えると「まだ29歳よ」とつぶやく。「もう」と「まだ」の間で揺れる女心のラプソディ。

池澤夏樹著

バビロンに行きて歌え

一人の若き兵士が夜の港からひっそりと東京にやって来た。名もなく、武器もなく、パスポートもなく……。新境地を拓いた長編。

池澤夏樹著

母なる自然のおっぱい

読売文学賞受賞

自然からはみ出してしまった人類の奢りと淋しさ。自然と人間の係わりを明晰な論理と豊饒な感性で彫琢した知的で創造的な12の論考。

池澤夏樹著

マシアス・ギリの失脚

谷崎潤一郎賞受賞

のどかな南洋の島国の独裁者を、島人たちの噂でも巫女の霊力でもない不思議な力が包み込む。物語に浸る楽しみに満ちた傑作長編。

池澤夏樹著

クジラが見る夢

一九九四年春、カリブ海。『グラン・ブルー』主人公のモデル、ジャック・マイヨールがクジラと泳いだ幸福な日々の記録。写真多数。

池澤夏樹著

ハワイイ紀行【完全版】

JTB紀行文学大賞受賞

南国の楽園として知られる島々の素顔を、綿密な取材を通し綴る。ハワイイを本当に知りたい人、必読の書。文庫化に際し2章を追加。

氷室冴子著

いもうと物語

夢みる少女は冒険がお好き——。昭和四十年代の北海道で、小学校四年生のチヅルが友だちや先生、家族と送る、恋と涙の輝ける日々。

吉本ばなな他著

中吊り小説

JR東日本電車の中吊りに連載されて話題となった《中吊り小説》が遂に一冊に！ 吉本ばななから伊集院静まで、楽しさ溢れる19編。

鷺沢萠著

町へ出よ、キスをしよう

日々の出来事に泣き、笑い、怒りつつも、ひたむきに走り続けてきた人気作家の心に刻まれた風景を、瑞々しく綴った第一エッセイ集。

鷺沢萠著

葉桜の日

僕は、ホントは誰なんだろうね？ 熱くせつない問いを胸に留めながら、しなやかに現在《いま》を生きる若者たちを描く気鋭の青春小説集。

鈴木光司著

楽園

いつかきっとめぐり逢える——一万年の時と空間を超え、愛を探し求めるふたり。人類と宇宙の不思議を描く壮大な冒険ファンタジー。

いとうせいこう著

ノーライフキング

噂がネットワークを駆け抜け、「無機の王」が襲いかかる。世界を破滅から救うため立ち上がる子供たち。いま彼らはゲームを越えた。

酒見賢一著

後宮小説

後宮入りした田舎娘の銀河。奇妙な後宮教育の後、みごと正妃となったが……。中国の架空王朝を舞台に描く奇想天外な物語。

新潮文庫最新刊

森　浩一著
語っておきたい古代史
—倭人・クマソ・天皇をめぐって—
幅広い学問知識を手がかりに、今も古代史で論議の的となる問題を、考古学の泰斗が5つの講演で易しくスリリングに解き明かす。

杉浦日向子著
大江戸美味《むまそう》草紙
初鰹のイキな食し方、「どじょう」と「どぜう」のちがいなどなど、お江戸のいろはと江戸っ子の食生活がよくわかる読んでオイシイ本。

向笠千恵子著
日本の朝ごはん 食材紀行
おいしい朝ごはんは元気の素！『日本の朝ごはん』の著者が自信をもって薦める、日本全国で出会った、朝ごはんに欠かせない食材71。

西川　恵著
エリゼ宮の食卓
—その饗宴と美食外交—
サントリー学芸賞受賞
フランス大統領官邸の晩餐会で出されたワインと料理のメニューで、その政治家や要人の格がわかる！　知的グルメ必読の一冊。

太田和彦著
ニッポン居酒屋放浪記
疾風篇
浮世のしがらみを抜け出して、見知らぬ町へ旅に出よう。古い居酒屋を訪ねて、酔いに身を任せよう。全国居酒屋探訪記、第2弾。

柳　美里著
ゴールドラッシュ
なぜ人を殺してはいけないのか？　どうしたら人を信じられるのか？　心に闇をもつ14歳の少年をリアルに描く、現代文学の最高峰！

つめたいよるに

新潮文庫 え-10-3

平成 八年六月一日発行
平成十三年五月三十日十二刷

著者 江《え》國《くに》香《か》織《おり》

発行者 佐藤隆信

発行所 株式会社 新潮社
郵便番号 一六二―八七一一
東京都新宿区矢来町七一
電話 編集部(〇三)三二六六―五四四〇
読者係(〇三)三二六六―五一一一

価格はカバーに表示してあります。

乱丁・落丁本は、ご面倒ですが小社読者係宛ご送付ください。送料小社負担にてお取替えいたします。

印刷・二光印刷株式会社 製本・株式会社植木製本所

ISBN4-10-133913-9 C0193